CONVIERTE TU BLOG EN UNA MÁQUINA DE HACER DINERO

TÍTULOS ESPECIALES

Título de la obra original:

ProBlogger. Secrets for Blogging Your Way to a Six-Figure Income

Responsable Editorial:

Víctor Manuel Ruiz Calderón

Susana Krahe Pérez-Rubín

Traductor:

Sergio Luis González Cruz

Diseño de cubierta:

Ignacio Serrano Pérez

CONVIERTE TU BLOG EN UNA MÁQUINA DE HACER DINERO

Darren Rowse

Chrise Garret

Todos los nombres propios de programas, sistemas operativos, equipos hardware, etc. que aparecen en este libro son marcas registradas de sus respectivas compañías u organizaciones.

Edición española:

© EDICIONES ANAYA MULTIMEDIA (GRUPO ANAYA, S.A.), 2011
Juan Ignacio Luca de Tena, 15. 28027 Madrid
Depósito legal: M. 9.946-2011
ISBN: 978-84-415-2925-0
Printed in Spain
Impreso en: Lavel, S. A.

Dedicado a nuestras familias y amigos,
y a los blogueros que nos quedan por conocer.

AGRADECIMIENTOS

De Darren Rose: Un bloguero será tan bueno como lo sean aquellos que lo rodean. Este libro está dedicado a aquellos que me hacen mejor bloguero y mejor persona. A mi familia, especialmente Vanessa, que me animó a seguir con "la locura ésta de los blogs", y a los lectores de ProBlogger, que tanto me han enseñado sobre los blogs.

De Chris Garrett: Gracias a mi familia por apoyarme con cariño y pasteles, a mis inteligentes lectores de `chrisg.com`, a mis encantadores clientes y a mis grandes amigos de Wiley por ayudarnos a acabar el proyecto sin que nuestra salud se resintiera demasiado por ello.

Por último, gracias a los siguientes lectores por su interacción y colaboración en esta edición:

Jonathan Thomas (`http://www.anglotopia.net`).

Sean Ashcroft (`www.stickyclients.co.uk`).

Nadja Specht (`www.nuvota.com`).

Cathy Stucker (`http://BloggerLinkUp.com/`).

Chris D. (`http://www.ChrisD.ca`).

Paul Cunningham (`http://www.bloggingteacher.com`).

Andrew Mudaliar (`www.bargaincity.ca`).

SOBRE LOS AUTORES

Darren Rose es la persona que está detrás de ProBlogger.net, que se ha convertido en uno de los sitios líderes de la Web en información sobre cómo hacer dinero con los blogs. Él también es bloguero, un bloguero a tiempo completo que desde 2005 ha obtenido unos ingresos de seis cifras con esta labor. Además de escribir en ProBlogger, Darren también edita la popular Digital Photography School (`http://digital-photographyschool.com`), así como Twitip Twitter Tips (`http://www.twitip.com`).

Darren vive en Melbourne (Australia) con su esposa Vanessa y sus hijos Xavier y Henri. Su tiempo libre lo dedica a sus otras pasiones, la fotografía y las nuevas formas que adoptan la iglesia y espiritualidad.

Los autores Darren Rowse (derecha) y Chris Garrett (izquierda).

Chris Garrett es escritor, consultor de Internet y, obviamente, bloguero profesional. Además de su propio blog, `chrisg.com`, imparte unas clases prácticas en línea que reciben el nombre de Authority Blogger Course (`http://AuthorityBlogger.com`) y escribe para muchos sitios, entre los que se incluyen CopyBlogger y, en ocasiones, un blog que probablemente haya oído nombrar, ProBlogger. Vive en U.K. con su esposa, Clare, su hija Amy, su perro Benji y su viejo gato gruñón, Tigger. Claris sigue intentando trasladar a su familia de vuelta a Canadá, por si hay algún lector que tenga una varita mágica. Cuando no está delante del ordenador (cosa rara), lo más probable es que esté en la calle, tomando fotos mediocres con su cámara digital.

Índice de contenidos

Introducción

CÓMO DARREN SE CONVIRTIÓ EN UN BLOGUERO DE PROBLOGGER

Durante el primer año de mi carrera como bloguero, simultaneé tres trabajos, estudié a tiempo parcial y además escribí en blogs.

Los lectores que llegan por vez primera a `ProBlogger.net` suelen creer que los ingresos de seis cifras que he obtenido escribiendo en blogs los he conseguido de la noche a la mañana. Nada más lejos de la realidad.

Aunque los blogs han permitido a que un número cada vez mayor de personas obtengan ingresos, este proceso raramente es rápido. Por este motivo, me gustaría compartir mi propia historia como bloguero, en la que empecé a escribir por afición y acabé dedicándome a tiempo completo. Por tanto, hágase un café, póngase cómodo y relájese; esto nos va a llevar un ratillo.

Érase una vez...

En noviembre de 2002, cuando hice clic por primera vez en "Publicar" en mi efímero blog original, lo hice creyendo que "esto de los blogs", algo de lo que no había oído hablar hasta ese día, no sería más que algo para pasar el rato.

Inicié este blog por varias razones, pero sobre todo fue por curiosidad, por tener una afición nueva y la posibilidad de conocer gente nueva con intereses similares a los míos. En esa época tenía tres trabajos.

Mis tres trabajos

Mi trabajo principal en esa época era como pastor de una iglesia, tres días a la semana. Era mi trabajo a tiempo parcial (no era "el" pastor, sino uno de los cuatro, trabajábamos en equipo) y mi responsabilidad era ocuparme de la gente joven.

Estaba comprometido con Vanessa (o "V", como yo la llamo), íbamos a casarnos e intentaba ahorrar para la boda, pagar el préstamo del coche y las tasas de la universidad, por lo que también tenía otros trabajos a tiempo parcial (si por lo general la paga de un pastor no es espectacular, mucho menos la de un pastor a tiempo parcial).

Mi segundo trabajo consistía en trabajar en una tienda online. Aunque puede parecer algo interesante y útil de cara al mundo de los blogs, no era así. Se trataba de los almacenes "dog's-body", y mi tarea consistía básicamente en barrer, limpiar, levantar cajas, empaquetar pedidos y otras tareas serviles y aburridas. Pero bueno, me servía para pagar el alquiler.

Mi tercer trabajo era como operario ocasional. Estaba apuntado a una agencia de empleo y realizaba todo tipo de suplencias, que iban desde soporíferos trabajos en la línea de producción de una cinta transportadora hasta ayudar en el montaje de circos (no me pregunte).

Paralelamente a estos trabajos, estaba terminando mi grado en teología a tiempo parcial; una misión a largo plazo que tardé en completar 10 años. Ésta era mi vida ese día fatídico en el que tuve mi primer contacto con el mundo de los blogs.

Bloguero aficionado

Me gustaría decir que, en el momento en el que hice clic en "Publicar" en mi primer blog, la tierra tembló y del cielo vino un haz de luz que me transformó en un bloguero a tiempo completo, pero como todos sabemos, esas cosas no suelen ser así.

De hecho, durante más o menos los primeros 12 meses de existencia de mi blog, pocas cosas cambiaron. Si acaso, que llegué a estar más ocupado aún debido a que me matriculé de una asignatura adicional en la universidad y dejé mi trabajo como pastor para dirigir un equipo que iniciaba una nueva "iglesia emergente".

Por aquella época, escribir en blogs era una afición y un modo de conectar con otras personas que compartieran mis inquietudes por la "iglesia emergente".

Mi blog Leaving Room (`www.livingroom.org.au/blog`) se hizo razonablemente popular en los círculos de las iglesias emergentes ese año y los costes del alojamiento de mi sitio y mi proveedor de Internet (aún tenía conexión por marcado) comenzaron a aumentar.

Cuando llevaba aproximadamente un año escribiendo en el blog, por casualidad inicié Digital Photography Blog, que era originalmente un fotoblog, pero nadie prestaba atención a mis imágenes y sin embargo el artículo que escribí sobre mi cámara recibía muchas visitas. En un intento por cubrir los costes de mi alojamiento, decidí añadir al blog algunos anuncios de AdSense y el programa Amazon Affiliate. Sólo quería cubrir gastos.

Rápidamente descubrí que mi meta de cubrir gastos era realista, no sólo por el hecho de recurrir a AdSense; también porque lo coloqué en un blog ya asentado que tenía miles de lectores diarios (un detalle importante a tener en cuenta).

Incluso con ese volumen de tráfico, las ganancias de los primeros días no fueron elevadas. En mi primer mes (octubre de 2003), obtuve una media de 1,05 € al día, y eso que muchos de los clics de mis lectores se debían a la curiosidad. En noviembre conseguí 2,25 € al día.

La cantidad era muy pequeña, pero cubría mis gastos, por lo que comencé a preguntarme si con algunos dólares extra al mes podría ahorrar para comprarme un nuevo ordenador (en ese momento el blog se hacía con una conexión por marcado y un PC de seis años de antigüedad que funcionaba casi todos los días). Mi otra meta a largo plazo era ahorrar para un diseño profesional para el blog.

Diciembre llegó con unos ingresos diarios de 4,50 €, que se convirtieron en 6,75 € en enero, 7,50 € en febrero y 11,25 € en marzo. Si bien no era una fortuna, me hacía preguntarme qué ocurriría si esa progresión se extendiese por un largo periodo. No me refiero a incrementar la media diaria en 1,50 € o 2 €, sino a qué pasaría si pudiera fijar un crecimiento del 30, el 40 o incluso el 50 por cien cada mes.

Comencé a pensar en términos de crecimiento exponencial.

Bloguero a tiempo parcial

Por estas fechas ya disponía de más tiempo y necesitaba otro trabajo a tiempo parcial.

Mis estudios estaban llegando a su fin (al final me gradué) y los otros trabajos terminaron. "V" (mi actual esposa) comenzó a sugerir que quizá debería empezar a buscarme otro trabajo a tiempo parcial (con razón) y decidí que cuando terminara mis estudios, a finales de junio, me tomaría en serio eso de buscarme un trabajo para otros dos días a la semana. Todo ese tiempo estaba haciendo mentalmente cálculos en secreto para ver cuánto tendría que ganar al día para poder considerar mi blog como un trabajo a tiempo parcial.

Abril llegó con unas ganancias de 15 € al día, lo que me hizo pensar que ya tenía ese trabajo a tiempo parcial. Lo bueno de ingresar dinero a través de un blog es que se obtienen beneficios los siete días de la semana, lo que por entonces suponía un total de 105 € por semana.

Empecé a trabajar más intensamente (sobre todo por las noches), con la esperanza de que los ingresos aumentaran lo suficiente como para convencer a "V" de que aceptara mi deseo de renunciar a un trabajo "real" a tiempo parcial para concentrarme en mi blog.

El trabajo dio sus frutos: En mayo los beneficios fueron de 24 € al día y a finales de junio superé por vez primera los 1000 € al mes, pues conseguía 36 € por día.

Eran momentos difíciles, y "V" y yo teníamos que pensar bien nuestro siguiente movimiento. Una opción posible era mantener el crecimiento mensual trabajando en el blog fuera del horario laboral y buscarme otro trabajo, pero también podía dedicar al blog los dos días libres que me ocupaban los estudios para ver si le podía sacar más partido.

Decidí dedicarle seis meses más de trabajo al blog para ver hasta dónde podía llegar. Al final de dicho periodo, "V" y yo evaluamos de nuevo la situación: la amenaza de conseguir un trabajo "real" aún acechaba. También me hice con un ordenador nuevo y pude darle al blog el diseño profesional que estaba buscando.

Voy a hacer ahora una pausa en mi historia para comentar que este momento era un poco extraño para "V" y para mí. Ninguno de nosotros había iniciado un pequeño negocio y, aunque siempre tuve un cierto espíritu empresarial, ambos éramos personas bastante conservadoras en muchos aspectos. Aunque los números indicaban que existía un potencial en muchos otros niveles, todo parecía bastante raro.

Lo que me preguntaba era: ¿quién se gana la vida escribiendo en blogs? Ni que decir tiene que no le comentamos mucha gente nuestra decisión, y que cuando se lo contamos a la familia y los amigos, hubo muchos ceños fruncidos y bastantes comentarios del tipo "eso está muy bien, pero ¿te vas a buscar un trabajo de verdad?" y "¿cómo va tu hobby de los blogs?".

Llegados a este punto, voy a dejar de comentar las ganancias mensuales; sólo diré que invertir en el blog los dos días a la semana ha sido una de las mejores decisiones que he tomado. Eso sí, tomé esta decisión tras haber dedicado a los blogs 19 meses, consolidando varios blogs que generaban una cantidad de dinero razonable.

No recomiendo a la gente que deje sus trabajos sin meditarlo, en sus primeros días como blogueros. Es algo que tarda en funcionar. Aunque a mí me haya ido bien, hay otros muchos que han necesitado mucho más tiempo y algunos a los que no les ha funcionado en absoluto.

A lo largo de la segunda mitad de 2004 seguí dedicándoles a los blogs dos días a la semana, a la par que seguía empleando otros tres días a la semana en otros trabajos (labores de la iglesia y empleos en almacenes). En la práctica eran más de dos días a la semana, porque seguía dedicando bastantes horas de la noche a que la cosa siguiera adelante, y en ocasiones trabajé literalmente día y noche (como durante las olimpiadas, cuando mantuve un blog sobre los juegos con la ayuda de otro bloguero).

Era una época en la que inicié muchos blogs (llegué a tener 20) y experimenté con muchas fuentes de ingreso y sistemas de publicidad. Fue por entonces cuando también empecé a tratar en los blogs con seriedad el tema de escribir en blogs. Tuve una activa sección sobre trucos para blogueros en mi blog LivingRoom. Como no encajaba demasiado con algunos de los lectores de éste, decidí coger estos trucos y crear un nuevo blog llamado `ProBlogger.net`, que vio la luz el 23 de septiembre de 2004.

Bloguero a tiempo completo (por fin)

A mediados de diciembre de 2004 ya tenía bastante claro que 2005 sería el año en el que pasaría a ser bloguero a tiempo completo. Ya había abandonado la mayor parte de mi trabajo en almacenes, pues los ingresos de los blogs seguían aumentando, y mi trabajo remunerado en la iglesia había terminado, debido a un cambio voluntario en el modelo de la directiva.

Todo iba bien, las cifras de los ingresos de noviembre y diciembre eran estupendas, pero a mitad de diciembre tuvo lugar un pequeño desastre. Google hizo una de sus famosas actualizaciones, en las que algunos blogueros ascienden en los resultados de búsqueda y otros descienden. Yo me encontraba en este segundo grupo y la mayoría de mis blogs prácticamente desaparecieron de Google, llevándose consigo casi tres cuartas partes de mi tráfico y mis ganancias. ¡Aaah!

Todo parecía un poco inseguro por primera vez en más de seis meses, y me pregunté si la siguiente actualización de Google devolvería las cosas a su estado anterior, o si se pondrían peor. La actualización de mediados de diciembre nos dejó en un nivel en el que podíamos seguir adelante, pero era necesario un plan de contingencia. Llegué incluso a buscarme otro trabajo a tiempo parcial mientras tanto.

La siguiente actualización de Google dejó las cosas justo a un nivel por debajo de donde se encontraban anteriormente. Aprendí muchas cosas de la experiencia, y entre ellas la importancia de diversificar mis intereses, no basarme sólo en el tráfico de los motores de búsqueda y esperar lo inesperado cuando se trabaja por Internet.

2005 fue un año tremendo. Trabajé en el empleo a tiempo parcial que conseguí durante el "batacazo" de Google y a tiempo completo con mi blog (un acto de malabarismo, pero valía la pena). Seguí diversificando mis acciones, lo que dio lugar a nuevos blogs y compañeros, además de desarrollar un curso llamado

Six Figure Blogging (blogs de seis cifras) junto a otro bloguero, Andy Wibbels. El nombre del curso surgió porque me di cuenta de que mi labor como bloguero me había reportado más de 100.000 € por año de media; un descubrimiento asombroso.

A partir de 2005 el negocio siguió evolucionando, incluyendo los siguientes campos:

- **Crear una red de blogs (b5media) con un pequeño grupo de blogueros:** b5media empezó como un puñado de blogs interconectados, pero creció hasta superar los 300 blogs, de todas las partes del mundo. Se trataba de un negocio con una inversión en 2006 de 1,5 millones de euros en capital de riesgo y que continúa creciendo.
- **Lanzamiento de TwiTip.com:** El ascenso de Twitter nos dio la oportunidad de crear un blog sobre trucos para Twitter.
- **Publicación de libros electrónicos:** Según fui observando la caída de la economía en 2008, comencé a hacer planes para diversificar mis ingresos vendiendo mis propios productos. En 2009 publiqué dos libros electrónicos sobre mis dos blogs principales: *31 Days to Build a Better Blog* y *The Essential Portrait Guide*. En 2010 he publicado un segundo libro electrónico sobre fotografía, llamado *Photo Nuts and Bolt*", y hay más títulos en camino.
- **La comunidad ProBlogger:** Como un punto más de la diversificación, creé `ProBlogger.com`, un sitio para la comunidad de `ProBlogger.net`. Se trata de un sitio de pago que ha crecido hasta tener más de 2.000 miembros. Es el lugar en el que se reúnen los blogueros para sacarle todo el partido a los principios del blog gratuito.

Lo que he aprendido

¿Por qué le estoy contando todo esto? ¿Es quizá por mera autosatisfacción? Aunque he disfrutado haciéndolo, no es sólo por eso. El principal motivo por el que le he contado la historia es que pienso que es importante hacer énfasis en una serie de puntos:

- **Obtener beneficios de los blogs lleva su tiempo:** Aunque existen historias de personas que han generado grandes cantidades en menos tiempo que yo (recuerde que llevo en esto desde 2002), hay muchos otros cuyo crecimiento ha sido menor. Tuve mi parte de suerte, trabajé en ello una cantidad insana de horas y comencé en una época en la que había menos competencia de la actual en el mundo de los blogs. Todo esto ha contribuido a mi éxito. Me llevó más de año y medio convertirme en bloguero a tiempo parcial, y otro año adicional llegar a ser bloguero a tiempo completo. Hacerse bloguero profesional lleva su tiempo.

- **Ir paso a paso:** A menos que posea una cantidad ingente de dinero o que sus progenitores puedan cubrir sus gastos, deberá abordar su profesionalización como bloguero paso a paso. Mi método consistió en tener siempre un plan de rescate e incrementar el tiempo dedicado a los blogs de manera gradual, según lo justificaran los beneficios. Mi esposa y yo decidimos el nivel de ingresos necesario y estuvimos de acuerdo en que necesitaría otro trabajo mientras la cantidad no superara dicha cifra. Establecimos un límite temporal. Si los ingresos no alcanzaban el nivel deseado dentro de ese plazo, habría que buscar trabajo. Aunque esto puede sonar un poco rígido o deprimente, quise que tanto "V" como yo tomáramos las decisiones conjuntamente, de manera que ambos nos sintiéramos cómodos. "V" me apoyó enormemente en todo esto, permitiéndome seguir mis sueños a pesar de salirse de lo normal, aunque también hubo momentos en los que su sentido común me puso los pies en el suelo.
- **Se necesita trabajo y disciplina:** Como he mencionado varias veces en esta historia, fueron incontables las noches en las que trabajé en el blog hasta entrada la madrugada. Aunque mis límites ahora son otros, no era raro que subiese 50 artículos al día, lo que me llevaba a estar 12 horas delante de la pantalla. Me encanta ser bloguero, por lo que esto no supone un trabajo en todo momento, aunque mentiría si dijera que no hubo días (y semanas) en que deseé desconectar e ignorar mi negocio. Cuando hablaba con mis amigos sobre montar una empresa en casa, con frecuencia me decían que nunca sería capaz de hacerlo, debido a la tentación de la libertad de no trabajar. Siempre pensé que probablemente ese sería el caso, pero jamás he trabajado tan duro y con tanta disciplina, y puedo asegurar que buena parte de mi éxito se debe a ello.
- **Siga sus sueños:** La finalidad principal de esta historia es transmitir los tres puntos anteriores y ofrecer una visión realista del proceso para convertirse en un bloguero profesional. No me gustaría que se me acusara de proporcionar una visión sesgada de la escritura en blogs o de exagerar los ingresos que ello puede generar.

Dicho todo esto, también sería irresponsable por mi parte no decir que es posible hacer dinero escribiendo en blogs, y que en algunos casos (pero no todos), es posible hacer bastante dinero.

Existe un número creciente de blogueros que se ganan la vida con ello (algunos trabajan en b5media) e incluso más que complementan sus ingresos escribiendo a tiempo parcial, compatibilizándolo con otro trabajo, el cuidado de su familia, o con el estudio.

Me gustaría que este libro contribuyese a incrementar más aún el número de personas que hacen de la escritura en blogs su medio de vida.

CÓMO CHRIS GARRETT SE CONVIRTIÓ EN UN BLOGUERO

Mi historia es bastante diferente a la de Darren y, de hecho, Darren representa un papel bastante importante en ella.

En los comienzos de mi carrera desempeñé varios roles asociados con la tecnología de la información y la programación, hasta que descubrí Internet, o más exactamente, Internet me descubrió a mí.

Trabajaba para una universidad del Reino Unido cuando la administración decidió que deberíamos tener una infraestructura en Internet y un sitio Web. La tarea para ponerlo todo en pie recayó sobre mí.

Aunque ya poseía una experiencia limitada con Internet y ya llevaba un tiempo conectado, primero a través de tablones de anuncios (BBS) y luego gracias a los foros de Usenet, fue mi primera experiencia con el navegador Mosaic la que me conectó realmente a Internet, y este proyecto significaba conocerlo todo en detalle. Me enganchó al instante.

Aparte del sitio Web de la universidad, creé mi propio sitio, uno tras otro. Tenía un sitio de noticias sobre ciencia ficción, construí sitios sobre mis foros favoritos de Usenet y, obviamente, tenía una página Web personal. Luego comencé paralelamente a crear sitios para empresas locales.

Tras ello desempeñé distintas funciones propias de la Web y las agencias de publicidad y busqué los modos de incrementar mis conexiones y la capacidad de comercializar mi trabajo. Esto, combinado con mi natural forma de ser y el hecho de que soy todo un *geek*, se traducía en una gran actividad en los grupos de debate y los foros. Mi popularidad en estas comunidades *geek* me llevó a hacer de escribir mi trabajo, lo cual me llevó a ser coautor de un par de libros de programación, lo que a su vez hizo que mi perfil fuera aún más *geek*.

Por esa época empecé a intentar complementar mi exiguo salario creando sitios Web de programas de afiliados. Aunque tuve cierto éxito vendiendo suscripciones a revistas, ofertas de abogados y préstamos, mi corazón estaba en otra parte. Mis sitios de programación funcionaban muy bien, lo que además beneficiaba a mis labores paralelas como programador y escritor freelance.

Fueron Darren y Google AdSense los que me convirtieron en un bloguero profesional.

Aunque ya había desarrollado por mi cuenta un blog a modo de diario en 1999, antes incluso de que se les denominara "blogs", y escribía asiduamente artículos sobre programación, lo que me convirtió en creyente fue el hecho de saber que se podía obtener dinero de los blogs sin vender unos productos en los que no se tiene demasiado interés.

Me enemisté con AdSense casi con la misma rapidez con la que me atrapó, pero gracias a Darren supe que esto de los blogs se adaptaba perfectamente a mí.

Mi primer gran logro hasta la fecha en el mundo de los blogs probablemente sea haber trabajado en Performancing.com antes de que fuera vendido a Slashpress Media. Fui uno de los blogueros fundadores del sitio. En el plazo de un año pasamos de la nada al número 15 de la lista de los 100 primeros de Technorati, con cientos de miles de descargas de nuestro software y más de 30.000 usuarios registrados.

Saltemos unos cuantos años, hasta la actualidad; ahora el 100 por cien de mis ingresos proceden de los blogs. A diferencia de Darren, todos mis ingresos se generan porque escribo en blogs en lugar de proceder de mis blogs.

En vez de vender espacios publicitarios o utilizar Google AdSense, mis beneficios se generan de mis servicios de consultoría, de cursos en línea como mi *Authority Blogger Course* y de vender libros electrónicos, tanto los míos como los que vendo como afiliado para productos que recomiendo especialmente.

1. Mantener un blog por dinero

Es difícil pasar por alto la palabra blog hoy día. Se menciona a los blogs en los medios, los vemos por todo Internet e incluso oímos hablar de ellos en entornos laborales y sociales. En muchos casos, el término bloguero se utiliza no sólo para describir una persona que escribe en un blog, sino también para referirse a alguien que gana dinero haciéndolo.

En este capítulo examinaremos lo que significa realmente esta palabra y lo que implica; luego examinaremos los diferentes tipos de blogueros y veremos qué hay de verdadero en lo de hacer dinero con los blogs.

Antes de pasar a ganar dinero con un blog, es pertinente que definamos qué significa exactamente esa palabra.

¿QUÉ ES UN BLOG?

¿Qué es exactamente un blog? Creo que decididamente deberíamos tener claro el concepto, pues estamos en el principio de un libro sobre blogs.

Hay varias maneras de responder a esta pregunta, que van desde lo genérico hasta lo más técnico. Para decirlo del modo más claro posible, un blog es un tipo particular de sitio Web. Puede ver un ejemplo en la figura 1.1.

Los estudios demuestran que, aunque aumenta la consciencia de lo que es un blog, mucha gente los visita sin saberlo. Tampoco pasa nada; lo importante es que los lectores obtengan algo valioso de éstos. No obstante, cualquiera que lleve un tiempo leyendo blogs sabrá que mantener un blog puede ser algo más que publicar en un viejo sitio Web.

Aunque los blogs empezaron como listas informales de enlaces y diarios personales, han evolucionado para convertirse en un medio mucho más variado. Además de los blogs de diario y los de enlaces, ahora existen blogs empresariales, educativos, de mercadotecnia... de lo que desee.

Figura 1.1. Un blog típico.

Incluso los blogs que tratan temas similares pueden abordarse de maneras muy diferentes. Sólo tiene que comparar `chrisg.com` y `ProBlogger.net`, los blogs de los autores de este libro. Puede observar que a pesar de que ambos tienen muchas características en común, también se pueden implementar con su propio estilo individual.

¿Qué hace diferentes a los blogs?

Si los blogs son simples sitios Web, ¿qué los hace tan diferentes? En mi opinión existen tres áreas principales que diferencian un blog de cualquier otro tipo de sitio:

- **Contenido:** Los blogs se suelen actualizar con más frecuencia que los sitios Web tradicionales; muchos se actualizan varias veces al día, lo que hace que los visitantes regresen más frecuentemente. El contenido también se suele presentar en orden cronológico inverso, de manera que el *post* (artículo) más reciente aparece en la parte superior de la página principal y las entradas más antiguas en la parte inferior.

- **Sindicación:** Los seguidores de un blog no sólo pueden leerlo en su navegador, como cualquier otro sitio Web; un blog casi siempre proporciona el contenido en forma de *feed*. En otras palabras, los artículos enviados al sitio se proporcionan en un formato legible por las máquinas, permitiendo a la gente con el software apropiado para leer los artículos del blog conforme se van publicando sin visitar realmente el sitio.
- **Conversación:** El estilo de un blog es bastante diferente de otros tipos de sitios Web; hay más conversaciones y sentimiento de comunidad. A diferencia de los sitios meramente informativos, o los sitios de noticias (news) tradicionales, los blogs están escritos de manera que los blogueros se comunican directamente con sus lectores, que responden en forma de comentarios. Además de la conversación que tiene lugar en cada blog, también se dan conversaciones entre blogs, de modo que un artículo de un blog genera respuestas en otros.

Ejercicio

El mejor modo de hacerse realmente una idea de qué hace a los blogs tan especiales es darse una vuelta y leer un poco.
Busque todos los blogs interesantes que pueda y observe lo siguiente:

1. ¿Qué le llama la atención?
2. ¿Qué es lo que no le llama la atención?
3. ¿Qué tipo de contenido ofrecen los blogs que ha visitado?
4. ¿Con qué frecuencia se actualizan?
5. ¿Qué tipo de reacción generan en los lectores?

Cuando encuentre un par de blogs que le guste leer con regularidad, comenzará a apreciar las sutiles diferencias en el estilo y el enfoque con otras formas de publicación en Web. Puede que también se fije en el placer que proporcionan los blogs, por encima de su potencial para generar ganancias.

Los beneficios añadidos de mantener un blog

Sí, los blogs tienen muchos beneficios. Aunque muchos blogueros se sienten satisfechos con el mero proceso de escribir, y obviamente no podemos pasar por alto los blogueros que hacen dinero con ello, mantener un blog puede ayudarle a conseguir otros objetivos:

- **Fama:** Un blog de éxito posee el potencial para llamar la atención sobre su autor y ayudarle a crear un perfil más visible en su área de negocio, su entorno de ocio, o en su comunidad.
- **Contactos:** Los blogs son un medio excelente para conocer gente y establecer contactos. Como los blogs suelen conducir a conversaciones, un blog muy leído le pondrá en contacto con gente muy diversa.
- **Tráfico:** Atraer sólo a visitantes muy específicos puede ser un gran atractivo, en especial si tiene productos o servicios que vender. Los propietarios de los sitios Web siembre buscan nuevas fuentes de tráfico y los blogs son un medio probado para generar más visitas y aumentar la fidelidad.
- **Ventas:** Además de captar más la atención, con el tiempo sus artículos harán que transmita confianza y credibilidad, algo crítico para generar ventas.

Me encanta escribir en blogs. Es genial poder trabajar desde casa, con mi propio horario, a la par que ayudo y conozco a mucha gente. ¡No se me ocurre un modo mejor de ganarme la vida!

HACER DINERO CON LOS BLOGS

Ya hemos mencionado un par de veces que los blogs pueden proporcionarle dinero, pero hasta ahora no hemos explicado cómo se consigue esto. Esta sección comenta cómo obtienen sus ganancias los blogueros. Le recomendamos que, conforme lo vaya leyendo, piense qué tácticas le parecen más atractivas.

Introducción al mundo del bloguero profesional

Durante los últimos años el mundo del blog ha cambiado enormemente, evolucionando de muchas maneras. Lo que en su día fue una actividad limitada a un número reducido de personas, se ha convertido en una mini-industria. La cantidad de herramientas y servicios disponibles para blogueros ha ido aumentando paralelamente al número de estos.

Cualquiera puede desarrollar ahora de manera rápida y fácil actividades en línea que antes precisaban de una enorme perseverancia y una gran cantidad de conocimientos técnicos, basta con unos cuantos clics y escribir un poco. La publicación en la Web ha llegado a las masas.

Con este desarrollo y una presencia cada vez mayor, algunas personas han conseguido obtener beneficio de sus blogs. Al principio era raro saber de alguien que ganara dinero con su blog; de hecho, para muchos, el beneficio y la cultura del blog eran conceptos antagonistas, pero esto cambió en cuanto los primeros pioneros compartieron sus logros económicos, lo que hizo que se incrementara el interés en el asunto. Actualmente, aunque no haya previsión de obtener ganancias, es algo mucho más aceptado.

En los últimos años, el término bloguero profesional se ha ido aplicando para describir a todo aquél que concibe los blogs como algo más que una simple afición, como una actividad profesional que reporta dinero.

¿Cuánto se puede ganar?

Antes de profundizar más, cabe destacar que los blogueros que tomen esta senda han de hacerlo con unas expectativas realistas. Aunque hay millones de blogueros que han experimentado con un enfoque profesional, la mayoría no se han hecho ricos y lo único que han conseguido es un ingreso adicional.

Aunque algunos blogueros como Darren y yo vivimos de los blogs, y aunque haya otros que consigan con ello más dinero aún que nosotros, la mayoría utilizan sus beneficios para sufragar la compra de accesorios o sus gastos de conexión a Internet.

Como en otros aspectos de la vida, han triunfado aquellos que se han demostrado perseverancia en este largo camino, mientras que otros han abandonado antes de empezar realmente.

El bloguero profesional no se hace rico de la noche a la mañana

La gente a veces se decepciona cuando les pedimos que nos digan quién se ha hecho rico al instante. Por desgracia para los impacientes, crear un blog que dé sus frutos lleva tiempo. Un bloguero profesional no se hace de la noche a la mañana, de igual modo que uno no se convierte en profesional del golf al instante. ¡Si todo fuera así de fácil! Aunque este paso conlleva la decisión de ganar dinero manteniendo blogs, esto es algo que hay que trabajar a lo largo del tiempo.

En efecto, se puede hacer mucho dinero con los blogs. Lea las historias que circulan por ahí de gente que ha conseguido unas cantidades decentes con ello, se hará una idea de la ganancia potencial existente. No deje tampoco de leer e investigar el duro trabajo y la inversión que han dedicado aquellos blogueros que han creado un blog económicamente viable. Recuerde que por cada famosa historia de éxito que vea, habrá multitud de blogueros desconocidos que fracasaron en el intento. El número de personas que lucha para sacar sólo unos pocos euros de sus blogs es muchísimo mayor que el de aquellos que aparecen en los titulares por obtener beneficios de cinco cifras al mes.

No nos malinterprete; no le decimos esto para desalentarle; el objetivo de todo este libro es ayudarle a alcanzar exactamente estos sueños, pero creemos que tenemos la responsabilidad de ser realistas. No existen varitas mágicas, trucos ocultos, ni secretos apretones de manos para proporcionarle el éxito inmediato, aunque sí lo puede obtener con tiempo, energía y determinación.

Métodos directos e indirectos de ganar dinero

Aunque entraremos en detalle sobre cómo ganar dinero con un blog más adelante en este libro, esto se consigue mediante dos amplias categorías de tácticas: la monetización directa e indirecta.

La mayoría de blogs y blogueros tienden a utilizar una u otra, pero no hay nada que impida experimentar con elementos de ambas.

Monetización directa

Los métodos directos son estrategias que permiten a los blogueros obtener beneficios directamente de sus blogs. Como ejemplos podríamos citar los siguientes:

- Anuncios.
- Patrocinio.
- Programas de afiliados.
- Artículos pagados (si Google le coge vendiendo enlaces, puede perder su posicionamiento).

Como puede apreciar en la figura 1.2, Darren obtiene ingresos mostrando anuncios.

Monetización indirecta

Los métodos indirectos son aquellos en los que los blogueros pueden obtener beneficios porque tienen un blog, empleando su autoridad, credibilidad y experiencia como blogueros para cualquiera de los siguientes fines:

- Ser contratado como freelance.
- Libros tradicionales y electrónicos.
- Dar conferencias.
- Asesoramiento como consultor.

- Contratos de servicio.
- Impartir clases, cursos y talleres.
- Sitios y comunidades de pago.

Figura 1.2. Anuncios patrocinados de ProBlogger.net.

Cuando visite mi blog, que puede ver en la figura 1.3, no verá anuncios, sino referencias a mis métodos de monetización indirectos.

Figura 1.3. Cómo utilizar un blog para vender servicios.

Ejercicio

Vuelva a la lista de blogs del ejercicio anterior. ¿Qué métodos emplean los blogueros para ganar dinero? Busque los indicios obvios, como los anuncios, y los elementos no tan obvios, como las referencias a servicios propios.

Ingresos pasivos y activos

Uno de los grandes atractivos de sacar partido económico a los blogs, o de la publicación en Web en general, es que mucha gente los ve como una fuente de ingreso pasiva, que genera beneficios incluso cuando no se está trabajando en ella.

Aunque hay aspectos del mantenimiento de blogs que se pueden ver como un beneficio pasivo (por ejemplo, los anuncios nos pueden reportar un dinero extra mientras dormimos, estamos de vacaciones, etc.), en realidad sí que tenemos que seguir trabajando sobre ellos para que la ganancia se mantenga o aumente.

Los blogs que no se actualizan, descuidados o que evidencian haber sido creados de manera automatizada o con contenido duplicado acaban siendo rechazados y desapareciendo. Cuando un blog no atrae a los visitantes, el bloguero no obtiene beneficios.

¿Está preparado para convertirse en bloguero profesional?

Darren y yo hablamos a diario con blogueros que han escuchado historias de blogs que producen mucho dinero y que desean obtener beneficios de sus blogs. Uno de los consejos que les damos, a sabiendas que no siempre lo entienden, es que vale la pena pararse a pensar si realmente están preparados para hacer dinero manteniendo blogs.

Aunque esto puede parecer una tontería o incluso insultante, queremos que les sirva para examinar sus intenciones. No todos los blogueros dan el perfil apropiado.

Muchos nuevos blogueros empiezan con ideas y entusiasmo, pero tras la primera oleada de energía cada vez se les hace más cuesta arriba escribir a diario, aparte del resto de actividades necesarias para mantener un blog. Si sus ingresos dependen de este mantenimiento, puede que descubra que algunos de los sentimientos que le estimulaban y le hacían disfrutar se han convertido en resentimiento, convirtiendo los blogs en una carga.

¿Qué método de monetización le va mejor?

No siempre se tiene claro el estilo de monetización que se desea seguir. Cada táctica es apropiada para un estilo de blog y bloguero diferente.

Considere los siguientes enfoques para un blog y decida si encajan con su idea. Hemos indicado en qué categoría entrarían principalmente.

Indirectos

Éstas son algunas de las razones habituales para emplear un método de monetización indirecto:

- Mantiene un blog para publicitar su negocio.
- Mantiene un blog porque quiere vender sus productos.
- Mantiene un blog porque quiere difundir sus escritos.
- Mantiene un blog porque quiere darse a conocer.

Directos

Éstas son algunas de las razones habituales para emplear un método de monetización directo:

- Mantiene un blog por diversión, sobre sus intereses y aficiones.
- Mantiene un blog para hacer dinero en su tiempo libre.
- Mantiene un blog sobre productos y escribe análisis sobre éstos.

Ahora bien, tampoco pasa nada si escribe por más de un motivo, se pueden mezclar estrategias, pero los blogueros que tengan pensado incorporar fuentes de ingreso a sus blogs deben tener presente la posibilidad de que las implicaciones de seguir ese camino pueden tener su impacto en sus otros objetivos.

Permítame compartir un par de situaciones reales con las que nos hemos encontrado Darren y yo, en las que colocar anuncios no ha sido una buena idea. Aunque pueden parecer casos específicos, estoy seguro de que representan la historia de muchos blogueros y de que podrá imaginar otras situaciones.

Blogs de empresas que anuncian a la competencia

Muchos emprendedores odian la idea de poner dinero, por lo que cuando oyen hablar de poner anuncios en los blogs creen haber encontrado un modo de obtener dinero del tráfico inservible. En realidad, lo que tiene a ocurrir es que los anuncios que acaban apareciendo son los de las empresas de la competencia. Aunque existe la posibilidad de bloquear los anuncios, la mayoría de las veces vendrán más anuncios a reemplazarlos. Si está vendiendo sus propios productos o servicios, debe ser extremadamente cuidadoso al mostrar banners u otras ofertas que no sean las suyas. En muchos de los casos, el espacio ofrecido a los anunciantes estaría mejor aprovechado si lo emplease para sus propias ofertas.

Protesta de los lectores

Un bloguero con el que habló Darren le habló del día en que agregó unos banners de anuncios gráficos a su blog que provocaron un motín entre sus lectores, lectores que en su día fueron leales expresaron su indignación por el giro adoptado. Mientras en algunos blogs el sentido de propiedad de los lectores no es muy elevado, en otros (por uno u otro motivo) los lectores se ofenden bastante cuando los blogueros cambian las reglas repentinamente, en especial en lo referente a la inclusión de banners animados. Dependiendo del nivel de la comunidad y del modo en que introduzca los anuncios, puede acabar perdiendo lectores, por lo que tendrá que considerar si los beneficios aportados por la publicidad compensan la marcha de muchos de sus lectores.

Obsesión con el dinero

Quizá uno de los ejemplos más tristes es el de un bloguero que mantuvo activo un blog realmente interesante y de éxito razonable. Aunque no se puede decir que jugara en primera división, tenía unos seguidores leales que iban en aumento. Al ver este crecimiento le picó el bicho de "sacar dinero con el blog", hasta tal punto que acabó matando su blog. Borró de su archivo todo el contenido que no le generara ingresos potenciales e introdujo tantos anuncios en su blog que resultaba complicado encontrar el contenido real. Al final acabó escribiendo sólo sobre asuntos que creía que le podían aportar beneficios. Al hacerlo, perdió a la amplia mayoría de sus lectores y acabó teniendo un blog bastante tan colorido como poco interesante.

Distracciones y desorden

Muchos blogueros colocan anuncios para probar y luego los quitan, principalmente porque los beneficios no compensaban el espacio de los anuncios. La publicidad contribuye a desordenar el blog, por lo que si ésta no aporta mucho, puede que no tenga demasiado sentido utilizarlos. Las opiniones al respecto varían según el bloguero y en ocasiones dependen del tipo de anuncio elegido y la materia sobre la que se escriba, pero es una de las principales razones que vemos para retirar los anuncios.

Pérdida de reputación

La reputación es algo cada vez más importante y difícil de conseguir. No hace falta demasiado para perder toda la confianza que se pueda haber granjeado. Algunos blogueros trabajan para crearse una reputación, reunir a unos seguidores, y luego lo tiran todo por el desagüe. Tras los anuncios, muchos blogueros se pasan a los programas de afiliados y a los artículos pagados, como siguiente fuente de ingresos. Los problemas empiezan cuando sólo tienen en cuenta el valor de las comisiones y comienzan a promocionar productos de afiliados sobre los que no tienen conocimientos. Es inevitable que algunos de estos productos sean mediocres o que incluso sean una estafa. Al promocionar productos defectuosos o escribir análisis poco veraces, estos blogueros están traicionando a su audiencia, algo difícil de reparar a veces.

Cómo utilizar anuncios en su blog

Éstos son los puntos clave a tener en cuenta al insertar anuncios en un blog:

- Dé prioridad a sus lectores y al contenido.
- No permita que imperen los anuncios.
- Asegúrese de que sólo se muestran anuncios relevantes y apropiados.
- Escriba artículos sólo sobre productos que haya utilizado.
- Promocione ofertas de afiliados sólo en el caso de que esté seguro de su calidad (indique su relación de afiliado para no entrar en complicaciones con las regulaciones de las oficinas de consumidores).

Siga estos consejos y le irá bien en la mayoría de los casos.

ESTRATEGIAS DE BLOG

Cuando piensa en ganar dinero manteniendo blogs, mucha gente piensa sólo en un modelo:

1. Montar un blog.
2. Hacerlo popular.
3. Sacar dinero con los anuncios.

En realidad hay otros modelos a tener en cuenta.

Varios blogs

Ante todo, no hay ningún motivo por el que se deba tener un solo blog. Darren y yo tenemos varios blogs cada uno. Aunque los beneficios que obtenga de su único blog no sean para tirar cohetes, si tuviese varios blogs y ganara un par de cientos de euros por blog, ello podría suponerle un salario interesante.

Blogueros freelance

Además de tener mis propios blogs, obtengo un porcentaje de mis ingresos escribiendo para otra gente. Es algo que se puede disfrutar, puede dar dinero y además supone un estupendo mercado para mí y para mi blog.

Obviamente creo que es algo muy interesante para los blogueros, pero ¿qué hay de la persona que contrata a un bloguero? La gente contrata a un bloguero freelance por varias razones:

- **Capacidad:** Aparte de escribir en sí están las otras tareas que debe hacer un bloguero, como generar visitas y promocionar el sitio, hacer cambios al diseño y ocuparse de aspectos técnicos como instalar plugins y programar, por ejemplo.
- **Tiempo:** Si está ocupado con su empresa pero sabe que podría obtener beneficios con un blog, podría contratar a otra persona para que escribiese. Conozco muchos blogueros que han creado mini-redes de blogs de este modo sin llegar a mantenerlos realmente.
- **Red:** Como le mostraremos más adelante en este libro, el éxito puede depender tanto de otra gente como de su propio esfuerzo. A veces la gente contrata a otros blogueros que saben que tienen muchos contactos para poder acceder a personas y comunidades que están fuera de su alcance.
- **Conocimiento:** Puede que haya ocasiones en las que necesite un experto en la materia para escribir sobre ciertos asuntos. En lugar de aprender por su cuenta, puede delegar la escritura de estos artículos a alguien externo.
- **Credibilidad:** Contratar a un bloguero popular es también una ventaja, porque puede aprovechar su credibilidad y el tráfico que atrae para potenciar los suyos. No hay nada como un bloguero popular y de renombre para atraer gente a su sitio.

Crear y traspasar

Se trata concepto habitual en el mercado inmobiliario que ha sido adoptado por el mundo del desarrollo virtual. Se basa en que es posible crear un blog valioso para después venderlo. Puede partir de cero o localizar una propiedad que necesite reformas, adquirirla, remodelarla y venderla posteriormente para obtener beneficios.

Ejercicios

Tras leer las secciones anteriores se habrá hecho una buena idea del tipo de opciones de ingreso que existen. Tómese su tiempo para pensar en cuáles le atraen más y por qué. La mayoría de las técnicas de monetización conllevan una gran cantidad de pruebas, pero saber por adelantado en qué se basan sus motivaciones le dará una idea de en qué estrategias deberá concentrar sus energías.

MEDIR EL ÉXITO DE UN BLOG

Si va a crear un blog directamente para ganar dinero, o si tiene pensado realizar ventas desde su blog, entonces el dinero es la referencia obvia para determinar si lo está haciendo bien. ¿Y qué ocurre si los ingresos directos o las ventas no forman parte de su plan? ¿Cómo puede medir entonces el éxito de su blog?

Cada bloguero con el que hable parecerá tener una perspectiva única de qué determina un blog de éxito. Para algunos la referencia podría ser el tráfico, otros priorizarán el número de suscriptores y algunos tendrán en cuenta los comentarios como elemento de medida. Cada sistema de medición significa cosas distintas para personas diferentes.

Las siguientes secciones revisan algunas de las formas que emplean los blogueros para medir el éxito de sus blogs. Algunas serán más o menos relevantes para blogs diferentes y dependerán de las metas y los objetivos del bloguero.

Tráfico

El medio más común que emplean los blogueros para evaluar un blog son las diferentes medidas de tráfico. Cada bloguero parece tener sus propias preferencias en lo referente a los distintos aspectos del tráfico y además, dependiendo de la herramienta utilizada para hacer la medición, los resultados serán diferentes, debido a que las metodologías utilizadas no serán las mismas. Es muy raro encontrar dos herramientas diferentes que coincidan en un resultado, por lo que para medir es mejor que se quede con su servicio favorito y lo emplee para mostrar la progresión, en vez de obsesionarse con las cifras. La figura 1.4 muestra un ejemplo con un gráfico del tráfico de `ProBlogger.net`.

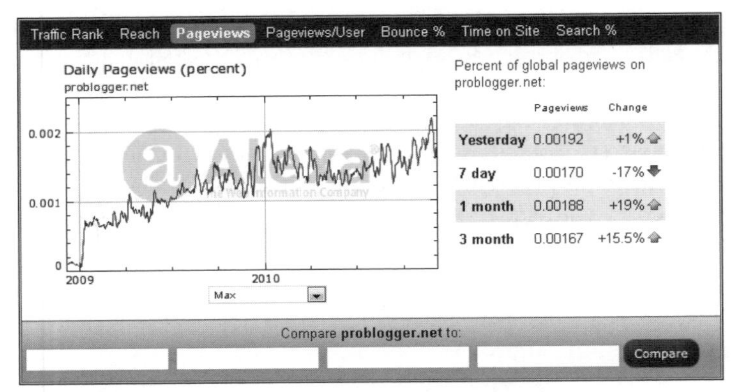

Figura 1.4. Gráfico de Alexa para ProBlogger.net.

Visitantes únicos

La idea en que se basa el seguimiento de visitantes únicos es contar el número de personas que visitan su blog. El problema para determinar esto con exactitud está en que no hay manera de saber con seguridad quién es el visitante, a menos que se solicite a cada lector un acceso previo a cada lectura.

Para obtener una idea aproximada de cuántas personas distintas visitan un blog, puede utilizar técnicas como contar las direcciones IP diferentes (un número que se asigna a cada dispositivo conectado a Internet) o registrar las *cookies* (pequeños textos que guardan los navegadores para su posterior recuperación). Todos los métodos tienen sus partidarios y sus problemas. Por ejemplo, su dirección IP de hoy podría ser diferente mañana, o bien muchos ordenadores podrían estar navegando simultáneamente bajo un mismo número debido a cómo se organizan las redes. Las cookies tienen un montón de seguidores, pero ahora son menos fiables que antes, pues mucha gente las borra de manera automática o manual por motivos de seguridad y privacidad.

Otro posible problema es que si tiene lectores que obtienen sus contenidos en forma de *feed* en lugar de visitar su blog con el navegador, su audiencia será bastante mayor de lo indicado por sus estadísticas. A los anunciantes les gusta saber a cuántos visitantes únicos atrae su blog en un mes en concreto, así que si está pensando en vender su blog, esta medida es también importante.

Visitas

Un visitante individual podría hacer varias visitas a un blog. Puede medir las visitas de una manera más fiable que los visitantes únicos, pero para comparar resultados deberá tener claro qué se considera una visita.

A las visitas también se les denomina a veces sesiones de visitante. Dependiendo de a quién escuche y del software empleado para la medición, una sesión se podría calcular de muchas maneras. Un modo popular de definir una sesión es como una secuencia ininterrumpida de páginas vistas tras un cierto periodo de inactividad. Si alguien visita dos páginas en un espacio de diez minutos, ¿lo consideraremos como dos páginas visitadas en una sesión, o como dos visitas?

Muchos propietarios de sitios Web tienen en cuenta la media de la duración de las sesiones como medio para determinar el tiempo que pasa la gente en su sitio. La duración de la sesión ha ido cobrando relevancia conforme los sitios Web han ido pasando de la mera descarga a una interactividad dentro de la página. Cuanto más tiempo pasen los visitantes mirando los contenidos, mejor, porque significa que están más enganchados y son más afines su estilo.

Vistas de página

Las vistas de página son el número total de páginas leídas en un navegador. A la mayoría de los blogueros les gusta saber cuántas vistas de página consiguen al día y al mes.

Además del total de vistas de página, debería monitorizar el porcentaje de páginas vistas por visitante. Lo mejor es tener un número alto de páginas vistas y que el visitante medio lea más de una página.

Cada artículo que escriba recibirá sus propias vistas de página, de modo que al comparar los recuentos individuales de éstas podrá saber qué artículos atraen más a su audiencia y por tanto determinar qué contenidos son más interesantes para sus lectores.

Peticiones

El recuento de peticiones mide el número de veces que se ha solicitado un archivo al servidor.

Se trata de una medida arcaica y poco útil, porque cuenta todas las peticiones realizadas para cada uno de los archivos. Aunque puede parecer de utilidad, realmente proporciona poca información aplicable. Si tiene una página que contiene cuatro imágenes, una solicitud de esa página contará como cinco peticiones, con lo que al incrementar el número de imágenes, aumentarán las peticiones.

Dada la naturaleza de la medida, poca gente la toma en serio. Con frecuencia, el término petición se utiliza incorrectamente en las conversaciones y los medios cuando lo que en realidad se pretende describir es el tráfico en general o las vistas de páginas específicas.

Suscriptores

La actitud de los blogueros hacia sus suscriptores puede ir desde la indiferencia hasta la obsesión. ¿Por qué son éstos tan importantes?

El recuento de suscriptores de un blog es un buen indicador de su popularidad, porque los suscriptores son las personas que desean leer sus contenidos a largo plazo y se han inscrito para recibir las actualizaciones, para no perderse ninguna. Éstos son sus lectores fieles, gente que con seguridad regresará una y otra vez.

Siendo importantes las medidas anteriormente mencionadas, además de tradicionales, los suscriptores son críticos para un blog. Una visita podría deberse a una persona que llega, no encuentra lo que busca y se marcha para siempre. Un suscriptor ha adquirido un pequeño compromiso con usted y le hace ver que le está proporcionando algo útil y convincente.

Los suscriptores se suelen dividir en dos grupos, por RSS y por correo, aunque no hay una separación clara.

Suscriptores por RSS

Los suscriptores por RSS son las personas que utilizan su *feed* para leer artículos. Emplean un lector de *feeds* (un servicio o una aplicación) para extraer las actualizaciones, por lo que puede que nunca visiten en realidad su blog.

El servicio de medida de *feeds* más popular es `FeedBurner.com` y, por este motivo, la mayoría de los blogueros se basan en él para comprar sus progresos entre sí. Tanto Bloglines como Google ofrecen un contador de los lectores que utilizan sus servicios de lectura de *feeds*, pero sólo FeedBurner proporciona un recuento de todos ellos.

Incluso a pesar de que casi todos los blogueros se basan en FeedBurner, incluso la propia empresa llega a admitir que el recuento de los lectores por *feed* no es una ciencia exacta. Las cifras fluctúan a diario y cualquier fallo técnico puede dar la impresión de haber ganado o perdido lectores casi aleatoriamente. Lo mejor es utilizar el contador como una guía del progreso y no como un recuento exacto de individuos.

Suscriptores por correo electrónico

Además de los lectores de RSS, muchos blogueros publican su contenido por correo electrónico. Hay disponibles servicios que le permiten distribuir su *feed* RSS diariamente mediante el envío de correos, así como servicios especializados en publicación de noticias por correo, como `Aweber.com`, con los que puede crear mensajes o importar su contenido.

Una ventaja de utilizar listas de correo frente al RSS es que cuando un visitante se suscribe, se consigue su dirección de correo. Una lista de direcciones de correo es un indicador fiable de cuántas personas están suscritas a su blog.

Comentarios, reacciones e interacción

Del mismo modo que todos queremos lectores, cuando un blog engancha a éstos realmente, se llena de comentarios. Los comentarios son la muestra de que sus visitantes desean interactuar con usted. Le permiten crear un sentido de comunidad, además de motivar a los lectores a regresar con frecuencia. La figura 1.5 muestra un ejemplo de formulario para comentarios.

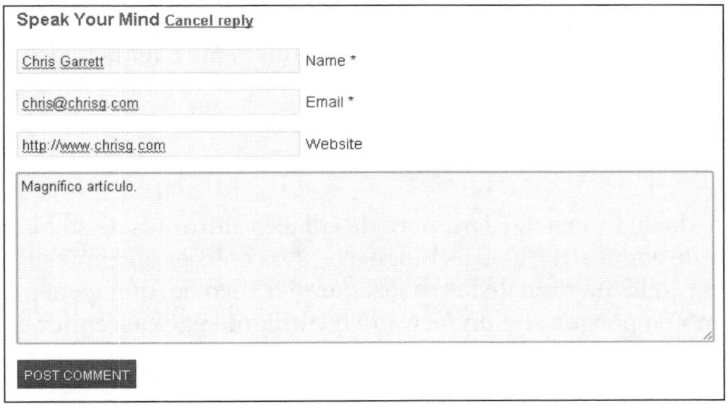

Speak Your Mind Cancel reply
Chris Garrett Name *
chris@chrisg.com Email *
http://www.chrisg.com Website
Magnífico artículo.
POST COMMENT

Figura 1.5. Así se escribe un comentario.

Comentarios

Para contar el número de comentarios recibidos deberá eliminar antes los comentarios basura y el spam. Si los artículos obtienen una media de diez comentarios, habrá avanzado con respecto a los que reciban sólo uno o dos.

Hay dos tipos de comentario que son particularmente deseables: las reacciones positivas y las razonadas. Si los únicos comentarios que recibe son del tipo "esto es una basura", es probable que prefiera dos comentarios que digan "buen artículo" frente a diez de los anteriores.

Muchos blogueros también consideran la calidad tan importante como la cantidad, porque publicar cualquier tontería en el área de comentarios o hacer publicidad de la propia página Web lo puede hacer cualquiera, pero cuando alguien se toma su tiempo para elaborar un comentario ponderado, resulta mucho más gratificante.

Reacción

Obviamente, además de los comentarios, la gente también utilizará el formulario de contacto y el correo electrónico para estar en contacto con usted. La mayoría de mis mejores artículos fueron inspirados por preguntas de los lectores, por lo que es importante para todos conocer sus reacciones, buenas o malas, para saber qué estamos haciendo bien y en qué nos equivocamos.

Interacción

Hay muchas maneras en que los lectores pueden participar en un blog, más allá de los comentarios o los correos. Se puede intervenir en un blog respondiendo a encuestas, concursos y otros tipos de interacción. En general, si la gente responde en masa cada vez que pregunta, se puede decir que tiene enganchados a sus lectores.

Enlaces

Los enlaces son la moneda de Internet. El número de enlaces entrantes de su blog puede ser un indicador de cómo atrae a otros blogueros. Los enlaces entrantes son buenos para un blog en la mayoría de los casos, por el tráfico del que vienen acompañados, pero también porque son un factor determinante para ascender en las listas de los motores de búsqueda.

Se pueden monitorizar de varias maneras.

Enlaces inversos (trackbacks)

Si otro bloguero enlaza su artículo, puede recibir una notificación empleando un comentario especial llamado *trackback*, que parece enlazar inversamente al bloguero original mediante una pequeña cita del texto utilizado. Aunque muchos blogueros los odian, debido a que los *spammers* se aprovechan de ellos, los blogs los emplean para conversaciones posteriores y como notificación de lo que otros escriben sobre estos.

Motores de búsqueda

Para saber quién le enlaza, escriba **link:domainname** en Google. Obtendrá una buena visión global de los enlaces entrantes que el motor de búsqueda ha indexado para su blog. Existen también plugins de navegador y servicios Web muy fáciles de utilizar que le mostrarán lo mismo.

Estadísticas de referencia

La mayoría de paquetes estadísticos tienen la capacidad de rastrear de dónde vienen los lectores que visitan su blog. Así puede saber qué buscan estos en los motores de búsquedas, además de los sitios que están conectados.

Resultados de los motores de búsqueda

Conseguir las primeras posiciones en los resultados de un motor de búsqueda para una determinada frase puede abrir la puerta a una avalancha de tráfico y recibir la admiración de sus compañeros. Alguna gente se lo toma como un deporte, juego o competición, mientras que otra hace de ello su profesión, puesto que algunos resultados de búsqueda valen mucho dinero si se está vendiendo algo valioso. La figura 1.6 le muestra un ejemplo de resultado de búsqueda en el que Darren se encuentra en la primera posición.

Consejo para blogueros de ProBlogger: Sitios Web de utilidad

Los siguientes sitios Web le servirán para hacer un seguimiento de su propio progreso o comparar un blog con otro:

- `http://tools.seobook.com/`
- `www.seomoz.org/tools`
- `http://alexa.com/`

Consejo para blogueros de ProBlogger: Adicción a las estadísticas

Aunque puede ser útil monitorizar todas las estadísticas mencionadas en este capítulo, algunos blogueros caen en la trampa de hacerse adictos a estos tipos de mediciones, lo cual puede derivar en una dinámica competitiva y poco productiva.

Recuerde que, a diferencia de muchos otros entornos, un bloguero no tiene competencia como tal; más que adversarios, sus compañeros blogueros suelen ser una fuente de ayuda, amistad y tráfico. Además, es preferible insensibilizarse y mantener a raya el ego; a veces la conversación puede calentarse, por lo que es crítico mantener la cabeza fría.

Yo personalmente tengo en cuenta todos estos distintos indicadores de medida, pero es mejor no prestarles más atención de la que merecen.

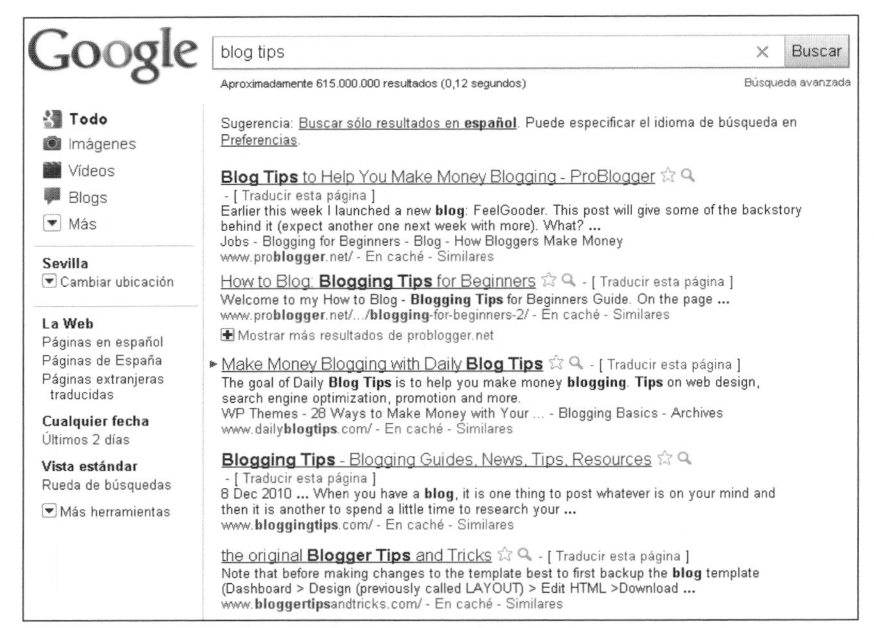

Figura 1.6. ProBlogger se encuentra en la primera posición para la búsqueda de este ejemplo.

> **Ejercicio**
>
> Vuelva a su lista de los blogs que lee una vez más. ¿Sus blogs favoritos muestran algún indicio de éxito para los criterios precedentes? ¿Los mejores tienen más suscriptores RSS, más comentarios? ¿Puede encontrarlos en `Google.com` y `Alexa.com`?

RESUMEN

En este capítulo hemos examinado lo que es un blog y algunas de las maneras en que podemos utilizarlo para hacer dinero. Aunque no queremos que sea pesimista, le hemos aconsejado que sea prudente; no se va a hacer millonario de la noche a la mañana, así que más vale que no abandone su empleo. Al mismo tiempo, es un magnífico modo de obtener beneficios, tanto en términos monetarios como respecto a lo que se puede divertir haciéndolo.

En el resto del libro entraremos en materia para mostrarle exactamente cómo escoger una temática para su blog, lo que necesita para crearlo y cómo convertirlo en un éxito.

2. Blogs de nicho

Una de las decisiones más importantes que deben tomar los blogueros que desean crear un blog rentable es de qué va a tratar su blog.

En este capítulo vamos a presentarle el concepto de blog de nicho y a mostrarle unas preguntas que deberá hacerse cuando sopese en qué materia se centrará su blog.

La mayoría de blogueros comienzan creando un blog personal. Estos blogs son, en muchos aspectos, una extensión de la vida del bloguero y suelen abarcar intereses diversos, que van desde experiencias personales hasta comentarios sobre su trabajo, aficiones, relaciones y pasiones.

Los blogs personales pueden ser muy divertidos y son un magnífico lugar para aprender los fundamentos del mantenimiento de un blog; sin embargo, un blog que trate tal variedad de asuntos y que se adentre en su vida personal no tiene mucho sentido desde el punto de vista de los negocios.

Yo comencé con un blog personal que trataba temas que iban desde la espiritualidad y la iglesia hasta la fotografía o el mantenimiento de blogs (y otros), y aunque el blog se hizo bastante popular, tras 18 meses en activo, comencé a observar varios detalles que me hicieron pensar en darle un nuevo enfoque:

- **Algunos lectores estaban desilusionados con el blog:** Mi blog tenía varios temas principales y los distintos lectores se implicaban de distinta manera según el tema. Unos cuantos compartían todos mis intereses; no obstante, la mayoría llegaba a mi blog para leer prácticamente sólo un aspecto de mi vida. Cuando me centraba en un asunto en el que no estaban interesados, ignoraban el artículo o, en ocasiones, incluso lo rechazaban. Al final, cierta cantidad de lectores leales se desilusionaron con mi enfoque ecléctico del blog y dejaron de leerme del todo.
- **Comencé a sentirme culpable por escribir sobre ciertas materias:** Al ser sabedor de que muchos de mis lectores estaban decepcionados con el enfoque disperso que le estaba dando al blog, empecé a sentirme más

y más culpable al escribir sobre ciertas materias y comencé a temer las reacciones negativas que obtendría al publicar cosas que me interesaban, pero que algunos lectores estaban hartos de leer. Ello me llevó a publicar artículos que me interesaban menos para apaciguar a los lectores, ignorando otros asuntos que prefería haber tratado.

Me encontré en una situación bastante frustrante; era el autor de un blog cuyos lectores cada vez se quejaban más y que cada vez me apetecía menos escribir. Algo tenía que cambiar. Tras pensármelo mucho, decidí dividir mi blogs en varios blogs de nicho que se centraran en materias específicas.

Esto permitió a mis lectores obtener la información específica que deseaban y a mí escribir tanto (o tan poco) como quisiera sobre cada asunto, con la certeza de que escribía para personas con intereses específicos similares a los míos.

El resultado fue una experiencia más natural para mí y un blog más útil para los lectores.

10 RAZONES POR LAS QUE LOS BLOGS DE NICHO TIENEN ÉXITO

Aunque no es imposible crear un blog de éxito que abarque varias materias, la mayoría de los blogs rentables que he visto están dirigidos a un nicho definido.

Observe los principales blogs que lee regularmente y encontrará que la mayoría de ellos tienen un nicho definido. Algunos nichos son más amplios que otros, pero en casi todos los casos se han buscado su propio nicho.

Existen muchas razones por las que es importante escoger un nicho para crear un blog exitoso. Vamos a analizar algunas:

- **Lectores leales:** Los blogs de nicho tienden a generar una audiencia leal, porque los lectores saben que cuando acceden al blog, encontrarán en éste información relevante sobre cuestiones que les interesan, en vez de artículos aleatorios sobre asuntos que no desean leer.
- **Comunidad:** A la gente le gusta reunirse con otros como ellos. Muchas veces, al desarrollar un blog sobre una única materia, encontrará que en torno a él se reúne un grupo de personas de ideas similares no sólo para leer lo que tenga que decir, sino para interactuar con otros que comparten sus pasiones e intereses.
- **Autores especializados:** Los autores de los blogs de nicho tienen la libertad de centrarse en un asunto sin sentirse culpables por ello. Esto puede conducir a un incremento en la cantidad, calidad y profundidad de los artículos.

- **Sello, credibilidad y perfil:** Escribir regularmente sobre una única temática incrementa las opciones de que se vea a ese blog (y a su autor) como una fuente de información creíble y fiable en la materia. Si trabaja esto adecuadamente puede que se convierta en la persona de referencia en su nicho, un especialista o experto en su campo. Esto podría reportarle enormes beneficios si tiene un producto o servicio que vender. En lugar de tener que buscar a sus clientes, serían ellos los que le buscaran, debido a su experiencia.
- **Anuncios contextuales:** Los anuncios contextuales como los de AdSense suelen funcionar mejor en sitios muy específicos. Los anuncios servidos son están dirigidos y son más relevantes cuando todo el sitio trata sobre una materia definida, lo cual a su vez aumenta la probabilidad de que los lectores hagan clic en esos anuncios.
- **Posibilidad de vender productos:** Cuando entienda bien a un nicho y atraiga a una audiencia alrededor de éste, podrá crear y vender productos con la seguridad de que tienen un mercado entusiasta que los comprará.

Consejo para blogueros de ProBlogger

Mientras curiosea los blogs, intente identificar el nicho sobre el que trabaja cada bloguero y las características únicas de cada nicho. Según la materia, encontrará variaciones en el enfoque y convenciones típicas de ese nicho en particular:

- Materia global.
- Audiencia objetivo.
- Mercado de anunciantes.
- Nichos relacionados.
- Tipos de contenido de éxito.
- Estilo de diseño.
- Tono de voz.
- Noticias frente a tutoriales.

Al pensar en los blogs de nicho de esta manera, su percepción aumentará y ello le servirá para identificar mejor los nichos potenciales sobre los que podría trabajar gustosamente.

- **Venta directa por anuncio:** Los blogs de nicho son más atractivos para los anunciantes o patrocinadores privados, que buscan contenidos relevantes y afines a sus productos o servicios para colocar sus anuncios.
- **Optimización para los motores de búsqueda:** Google y otros motores de búsqueda tienden a favorecer sitios sobre materias bien definidas y con páginas que están relacionadas entre sí.
- **Más artículos:** Descubrí que publicaba más artículos si tenía cinco blogs sobre cinco materias en lugar de un blog sobre cinco materias. No es mucho lo que se puede escribir en un blog cada día sin agobiar a sus lectores.
- **Amplíe su ámbito a los nichos vecinos:** Uno de los beneficios de hacerse muy conocido en un nicho muy dirigido es que ello puede servirle de trampolín para otro nicho vecino o cercano.
- **Mayor conversión:** Si el modelo de negocio de su blog es vender algo a sus lectores, le interesa tener una audiencia que esté en muy buena sintonía con su propio objetivo. Intentar serlo todo para todo el mundo es una trampa en la que caen algunos blogueros. Por miedo a perder lectores, permiten que sus contenidos dejen de estar centrados y se salgan de su terreno. Aunque esto podría servir para crear una audiencia con el fin de vender un producto, su tasa de conversión se reduciría significativamente porque será inferior el porcentaje de lectores que esté realmente interesado en un producto más dirigido. Los blogs de nicho implican tener unos clientes potenciales más cualificados.

Escoger un nicho para su blog le permite a usted, a sus blogueros y a sus lectores estar más centrados, lo que aumentará su audiencia y generará ingresos de una manera más eficaz.

CÓMO ESCOGER UNA MATERIA PARA QUE SU BLOG DE NICHO SEA RENTABLE

Definir el nicho es importante para construir un blog de éxito, pero ¿cómo se elige este?

A continuación mostramos una serie de preguntas que le recomendamos que se haga a sí mismo cuando vaya a tomar esta importante decisión. Hemos incluido algunos ejercicios prácticos con cada pregunta para ayudarle a abordarlas más adecuadamente.

¿Está interesado en la materia?

Un amigo me lo explicó así hace poco:

"Probablemente el mejor punto para empezar a pensar sobre qué tratará el blog es analizar sobre qué suele hablar el bloguero".

Dicho de otro modo, empiece a identificar sus propios intereses y pasiones, intentando ponderar las materias. Aunque puede resultar tentador iniciar blogs basados en los intereses de otras personas o desde un punto de vista comercial, no tiene demasiada lógica que inicie un blog sobre algo que no le interesa.

Existen dos razones principales para ello.

En primer lugar, si desea desarrollar un blog popular y respetado, ello le llevará un tiempo considerable, por lo que necesitará un enfoque a largo plazo sobre el que construir.

Los blogs de éxito no surgen de la noche a la mañana; por tanto vale la pena que se haga esta pregunta: "¿Me veo escribiendo sobre esto dentro de un año o dos?". Si no es así, debería reconsiderar la temática elegida.

La segunda razón es que sus lectores se darán cuenta rápidamente si le apasiona la materia o no. Los blogs fríos y desapasionados no suelen crecer. Nadie quiere leer algo en lo que ni siquiera cree su propio autor.

Ejercicio

Tómese su tiempo para anotar todas las materias posibles que se le ocurran, basándose sólo en sus propios intereses y pasiones. ¿De qué sabe más? ¿Qué hace en su tiempo libre? ¿En qué gasta su dinero? ¿Sobre qué acaban tratando las conversaciones con sus amigos? ¿Qué ideas o asuntos le impiden conciliar el sueño? ¿A qué libros, revistas, programas de televisión y sitios Web les dedica tiempo? Puntúe cada materia en función de su pasión e intereses.

¿Tiene experiencia o conocimientos en la materia?

Ésta es una importante cuestión a sopesar antes de iniciar un blog. No porque no se pueda iniciar un blog sobre una materia sobre la que no se posee un estatus de experto, sino porque su propia experiencia en el área determinará cómo abordará el asunto.

Tome como ejemplo el nicho "hacer dinero escribiendo blogs". Constantemente veo blogueros que empiezan blogs que pretenden enseñar a la gente cómo hacer dinero con los blogs. Se presentan a sí mismos como expertos, pero el problema es que muchos de los que están detrás de estos blogs nunca se han dedicado a ello anteriormente y no tienen ninguna experiencia en la que basarse para enseñar a terceros lo que dicen que enseñan.

El resultado es que estos blogueros se suelen quedar con frecuencia sin materia prima para escribir. Sus lectores se dan cuenta del problema enseguida y la reputación del bloguero queda dañada.

Para una persona que se inicia un nicho en el que tiene poca experiencia, sería mejor abordarlo creando un blog sobre la materia que deje claro lo que sabe y lo que no, lo cual contribuirá a su propio aprendizaje sobre la materia en lugar de vender el falso reclamo de que puede enseñar a terceros.

Estos blogs pueden tener bastante éxito, porque suelen reunir a personas de un nivel similar para seguir los pasos de su aprendizaje junto al bloguero. Con el tiempo, estos blogs pueden convertirse realmente en blogs de expertos, conforme los blogueros y sus lectores van creciendo, haciéndose más competentes y experimentados en la materia.

Ejercicio

Haga una lista con las materias sobre las que tiene algunos conocimientos. ¿Qué formación ha recibido? ¿En qué tiene experiencia? ¿Sobre qué temas le suele preguntar la gente? ¿Qué está aprendiendo actualmente o qué le gustaría aprender? Cuando tenga la lista, asígnele a cada asunto una valoración según su nivel de conocimiento.

¿El asunto es popular?

Aunque el interés del bloguero es importante, no basta para crear un blog popular.

Otro ingrediente crucial es que otros quieran leer información relativa al asunto sobre el que escribe.

Aquí es donde interviene la ley de la oferta y la demanda. Aunque puede que esté interesado en su materia y sea capaz de ofrecer unos contenidos estupendos, a menos que haya otros interesados en ello que los busquen y por tanto exista una demanda, con ese blog siempre irá nadando contra corriente.

Recuerde que va a escribir en un medio con una audiencia global de muchos millones y como consecuencia no necesitará una materia que todo el mundo esté buscando, bastará con que la busquen algunos.

Ejercicio

Acérquese a un quiosco de prensa y dedique unos minutos a hacer un pequeño análisis de las revistas que están a la vista. ¿Qué le gusta a la gente actualmente? ¿Qué asuntos copan las portadas?

¿Se trata de un nicho creciente o decreciente?

La popularidad de los distintos asuntos sube y baja con el tiempo.

Lo ideal sería escoger un asunto cuando su interés está en ascenso y no cuando está decayendo. No es fácil, pero predecir cuál será el asunto más comentado o buscado por la gente le puede convertir en un ganador.

Adopte la costumbre de observar qué le interesa a la gente. Yo me pregunto constantemente: "¿Qué buscará la gente en Internet dentro de 6 ó 12 meses, y cómo puedo posicionarme para ser el sitio en el que puedan encontrarlo?".

Siga de cerca los intereses de la gente, cuáles son las últimas tendencias, qué eventos se acercan y qué lanzamientos de productos se prevén. Hágalo a través de Internet, pero no deje de prestar atención a la televisión, las revistas, los diarios e incluso las conversaciones que tenga con sus amigos.

Aunque no es esencial ser el primero en iniciar un blog sobre una materia, es importante tratar el tema en sus inicios.

Ejercicio

Acceda a Google Trends (`www.google.com/trends`) y escriba alguna de las palabras clave de los nichos para los que sopesa escribir. Las gráficas de Google Trends averiguan cantidades en función de distintos términos de búsqueda. Sólo registra algunas palabras (generalmente las más populares), pero ofrece un magnífico análisis de tendencias para saber si un determinado nicho está creciendo y menguando. Puede comparar dos o más nichos separando los términos con una coma.

¿Cuál es la competencia?

Uno de los fallos que cometen algunos blogueros al escoger una materia es optar por las temáticas más populares, sin tener en cuenta la competición con que se pueden encontrar en esos mercados.

Consejo para blogueros de ProBlogger: Análisis del nicho

Al seleccionar un nicho, es aconsejable que determine el tamaño de la audiencia, el nivel de competitividad, si puede hacer dinero con ello y hasta qué punto podrá rellenar el blog con contenidos a largo plazo.
Aunque muchos blogueros dicen que no hay nada como la competición entre blogs y que todos son amigos, sería bastante absurdo irrumpir en un nicho saturado para hacerse un hueco habiendo disponibles otros nichos igual de válidos.
¿Cuánta competencia es demasiada? Le sorprendería saber que en algunos casos la competencia es realmente deseable. Hay dos motivos por los que puede que no encuentre muchos competidores en un nicho concreto:

1. Usted es un genio y a nadie se le ha ocurrido escribir sobre ese asunto.
2. Simplemente interesa lo suficiente como para mantener un blog a largo plazo.

En la mayoría de las ocasiones se tratará del segundo caso, pero puede hacer la prueba para un nicho creando una nueva categoría en su blog personal y viendo qué tipo de reacción obtiene.

De hecho, muchos blogueros ven que hay blogs de éxito operando ya sobre un nicho y deciden que si otros han podido hacerlo, ellos deberían decantarse exactamente por el mismo asunto e intentar emularlos.

Un primer ejemplo de esto lo encontramos en el área de blogs sobre dispositivos, donde hay algunos blogs de éxito (como Gizmodo y Engadget). El problema de iniciar un blog sobre dispositivos es que ya hay miles de blogs orientados a este nicho, donde la mayor parte del mercado se la llevan unos cuantos, muy arraigados y asentados. Aunque no es imposible iniciar un blog de éxito sobre dispositivos, sería más inteligente escoger un nicho en el que encontremos competidores menos asentados y en menor cantidad.

Si da con un nicho que está en su mejor momento para dedicarse a él, es probable que alguien más lo haya encontrado. Entra de nuevo en juego la oferta y la demanda; para cualquier nivel de demanda de información sobre un asunto, sólo serán necesarias un cierto número de fuentes de información.

Internet es cada vez un espacio más abarrotado y a veces da la impresión de que no quedan nichos para los que escribir. Aunque esto es cierto para algunas de las materias más populares, no olvide que no tiene por qué dedicarse al asunto del que todo el mundo habla. De hecho, a veces proporcionan más beneficios algunos de los asuntos menos populares, que tienen poca o nula competencia.

Tengo un amigo que, tras años de intentarlo todo escribiendo sobre dispositivos, decidió pasar a escribir sobre cortacéspedes de montar (un terreno que conocía gracias a una compra que había hecho). Estaba sorprendido de descubrir que, tras un par de meses escribiendo sobre este nuevo tema, había recibido más tráfico (y obtenido bastante más) de lo conseguido por su sitio de dispositivos.

A veces es preferible ser un pez gordo en un pequeño estanque que un pez pequeño en un gran lago.

Ejercicio

Diríjase a `Google.com` busque blogs sobre su nicho potencial. Vea quién escribe sobre esos temas. ¿Cuántos blogueros dedicados a su nicho potencial puede encontrar? Anótelos, los utilizará en la siguiente etapa del proceso.

Aprovechar los descuidos de la competencia

Puede que en el mercado haya mercado elegido existan huecos, áreas no cubiertas. Aunque sus competidores tengan la ventaja de poseer una audiencia arraigada, éste no tiene tanta flexibilidad como para reorientar su blog rápidamente y cubrir el hueco que acaba de observar en el nicho, usted sí. Al hacerlo, creará un subnicho dentro del tema principal.

Ejercicio

Cuando analice a sus potenciales competidores, hágase algunas de estas preguntas:

- ¿Qué es lo que hacen bien?
- ¿Cuáles son los límites de los temas que tratan?
- ¿Sobre qué no escriben?
- ¿Con qué frecuencia publican?
- ¿Qué longitud tienen sus artículos?
- ¿Cuál es el nivel de los lectores a los que están dirigidos (principiantes, intermedio, avanzado)?
- ¿Qué cuestiones preguntan los lectores en sus comentarios?
- ¿En qué tono lo hacen?

- ¿Cómo obtienen ingresos?
- ¿Qué tipo de artículos parecen captar más atención (comentarios, *trackbacks*, enlaces entrantes)?
- ¿Cómo es su diseño? ¿Qué tiene buen aspecto y qué han descuidado?
- ¿Qué dicen de ellos los demás blogs?
- Si tienen estadísticas de libre acceso, ¿qué se deduce de estas? ¿Qué páginas son las más populares? ¿De dónde viene su tráfico entrante?

Este tipo de análisis de sus competidores no sólo le ayudará a descubrir si hay huecos que pueda cubrir con su blog; también le enseñará cómo hacerlo. El objetivo de pensar de esta manera es desarrollar un blog que sea único, que se diferencie del resto.

¿Tiene suficiente contenido?

Una de las características clave de los blogs de éxito es que tienen la capacidad de seguir ofreciendo contenido fresco sobre su temática durante largos periodos de tiempo. Por consiguiente, una de las cosas que acaban con muchos blogs es que sus autores se quedan sin nada que decir.

La pregunta sobre si hay suficiente contenido se debería hacer a dos niveles:

- **¿Tiene suficiente contenido que ofrecer como autor?** Esto nos devuelve realmente a la pregunta que hicimos antes sobre sus pasiones e intereses sobre la materia (por lo que lo dejaremos ahí).
- **¿Tiene suficiente acceso a otras fuentes de contenido e inspiración?** Existen muchas herramientas en Internet actualmente que le pueden ayudar para conseguir contenidos. Algunos sitios averiguan qué noticias hay sobre el tema en varios sitios, como Google News, Digg, Popurls (véase la figura 2.1), StumbleUpon o Reddit. Haga una búsqueda por las palabras del nicho que tiene pensado y observe cuánto se ha escrito sobre ello en los principales medios y otros blogs.

Ejercicio

Reserve una hora para hacer una lista con todas las ideas que se le ocurran para los artículos. Si a los tres minutos de iniciar este ejercicio se ha quedado sin ideas, podría ser un indicador de que no hay contenido suficiente para mantener un blog a largo plazo.

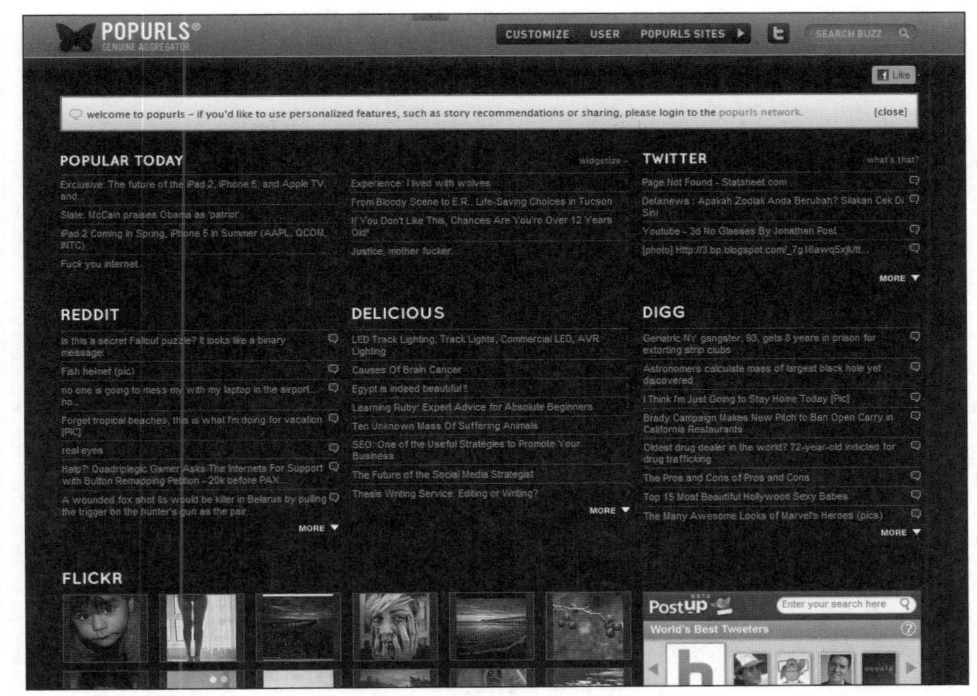

Figura 2.1. Popurls enlaza a las fuentes de la información.

¿Ese nicho proporcionará dinero?

Si está interesado en generar ingresos escribiendo en blogs deberá realizar algunas indagaciones para ver si el tema elegido posee vías de ingresos evidentes.

Existen muchas maneras de ganar dinero con los blogs, que veremos más adelante; sin embargo, el problema es que no todos los asuntos serán válidos como potencial fuente de ingresos. Por ejemplo, los programas de publicidad contextual como AdSense y Chitika funcionan realmente bien para algunos asuntos, pero no generan casi nada en el caso de otros. De igual modo, a algunos blogs les va estupendamente con los programas de afiliados, algunos están más preparados para vender anuncios directamente a los anunciantes y otros están más preparados para anuncios basados en impresiones.

Puede ser difícil saber hasta qué punto funcionarán las distintas vías de ingreso en un blog a priori, sin experimentar un poco. No obstante, cuanto más investigue y más información recabe antes de empezar, más elementos de juicio tendrá para tomar la decisión sobre el tema del nicho a elegir.

Ejercicios

- **Observe a sus competidores:** Compruebe cómo hacen otros blogs y sitios Web del nicho para obtener ingresos. ¿Qué tipos de anuncio utilizan? ¿Emplean programas de afiliados? Si la competencia tiene páginas de anunciantes, ¿cuánto cobran por ello?
- **Busque programas de afiliados:** Diríjase a su motor de búsqueda favorito e introduzca el tema que tiene previsto seguido de "programas de afiliados". Se sorprenderá de los resultados devueltos; con bastante frecuencia esto le mostrará algunos productos potenciales por los que podría obtener alguna comisión. Pruebe a buscar con distintas palabras clave.
- **Busque en Google:** Haga una búsqueda sencilla en Google para las principales palabras clave de su nicho potencial y vea cómo cambian los anuncios de la zona derecha de la página de resultados de la búsqueda. Esto es un indicador de que los anunciantes están utilizando Google AdWords como medio publicitario para estas palabras clave. Esto indica que es probable que haya anunciantes en su blog si emplea el programa de Google AdSense.
- **Pruebe con Amazon:** Busque en Amazon para ver si hay productos relacionados que pueda enlazar y obtener una comisión a través de su programa de afiliados.

¿QUÉ AMPLITUD DEBE TENER UN NICHO?

Hay blogs de todos los tamaños y formas. Eche un rápido vistazo a algunos blogs populares y descubrirá que algunos tienen nichos amplios. Por ejemplo, Gizmodo (véase la figura 2.2) incluye noticias para todo tipo de dispositivos electrónicos y sus consumidores; abarca casi todo, desde reproductores MP3 o cámaras digitales, hasta dispositivos GPS.

Algunos blogs reducen su nicho aún más y se centran sólo en una clase de producto. Hay casos extremos que sólo tratan una marca o modelo.

Ambos tipos de nicho pueden funcionar; no obstante, aunque algún análisis de los blogs más populares muestra que con bastante frecuencia éstos tienen un ámbito amplio, también es importante saber que se trata generalmente de nichos muy poblados (con mucha competencia), lo que obliga a trabajar mucho en su mantenimiento (muchos de los principales blogs tienen a varios blogueros produciendo en serie contenidos para publicar).

Figura 2.2. http://gizmodo.com.

Por otro lado, tampoco escoja un nicho demasiado reducido. Una vez vi un blog que empezó tratando de un único modelo de impresora. Aunque se trataba de un blog con un nicho bien definido, su bloguero se quedó sin nada sobre lo que escribir en una semana o dos.

De todo esto, debe sacar en claro que el nicho que elija debe tener suficiente sobre lo que escribir, pero sin llegar a desbordarle.

¿NICHO DEMOGRÁFICO O TEMÁTICO?

Hasta ahora hemos hablado de escoger un nicho temático para el blog, algo que hacen la mayoría de los blogs de éxito.

Sin embargo, se empieza a ver otro tipo de blog de nicho, uno que no se centra en una materia concreta, sino en nichos demográficos.

Estos blogs se dirigen a una audiencia concreta y desarrollan contenidos sobre una variedad de asuntos que están fuertemente relacionados con un grupo de personas. Permítame poner un pequeño ejemplo.

GalaDarling.com

La primera vez que me encontré con Gala Darling en un encuentro de blogueros en Melbourne, me describió su blog como un blog de moda que mostraba sus propios gustos y pensamientos sobre la moda, además de incluir noticias de ese mundillo.

Unos cuantos meses después de conocer a Gala quedamos para tomar un café y hablar sobre blogs, y me describió su blog (véase la figura 2.3) de un modo ligeramente distinto.

Figura 2.3. www.galadarling.com.

En lugar de describirlo como un "blog de moda", se refirió a él como un "blog para mujeres juveniles y alternativas (poco convencionales, individuales, excéntricas)".

La manera en que habló de su blog cambió, pasando de tratar sobre un único tema a dirigirse a un determinado tipo de lector o audiencia.

La moda aún ocupa una parte significativa de sus artículos, pero también ocurre lo mismo para otros aspectos de la vida de su leal y creciente audiencia (viajes, relaciones, compras, música, etc.). En cierto sentido, Gala ha orientado su blog para que sea una tienda en la que encontrarlo todo para sus lectoras, en vez de sólo un pequeño destino que se centra en un aspecto de sus vidas.

Consejo para blogueros de ProBlogger: El nicho adecuado para usted

Existen dos métodos para decantarse por un nicho: el analítico y el emocional. En la mayoría de los casos nuestra decisión final se basa en un poco de ambas.

- ¿Qué tipo de blog le atrae?
- ¿Hay algún tema que le estimule más que otros para trabajar sobre él?
- ¿Hay asuntos sobre los que no puede parar de hablar?
- ¿La gente le tiene por un *geek* o gurú sobre alguna materia?

Muchos de mis amigos blogueros de más éxito afirman que si les tocara la lotería, seguirían escribiendo en blogs; les encanta el tema que han elegido. ¿Podría pensar en un asunto que le hiciera sentir de esa manera?
Recuerde que ser un profesional del blog es duro, requiere tiempo y particularmente una gran cantidad de contenido único y valioso. Esto es mucho más fácil cuando escribimos en un blog que nos motiva.

ESCOGER UN NICHO

Llegados a este punto, es hora de que escoja un asunto para su blog. Es bastante improbable que encuentre el tema perfecto desde todos los puntos de vistas anteriormente expuestos. Aunque sería fantástico encontrar una materia que le apasione y que tenga una demanda masiva, sin competidores y que posea muchas fuentes de ingreso, la realidad es que la mayoría de los temas con que se encontrará tendrán al menos un punto débil.

No deje que esto le desanime; llegará un momento en el que tendrá que tomar una decisión y empezar a escribir, porque el mejor modo de obtener las respuestas a muchas de las preguntas de este capítulo es iniciar un blog y aprender.

La clave está en ser consciente de que cuál es el punto débil, para poder trabajar sobre ello y superarlo.

HERRAMIENTAS QUE LE SERVIRÁN PARA ESCOGER UN NICHO PARA SU BLOG

Hay desarrolladas muchas herramientas para blogueros que se pueden utilizar en el proceso de selección de un nicho temático para el blog. Las siguientes son las que vamos a utilizar en esta fase de investigación:

- **AdWords Keyword Tool:** Si se registra como anunciante en Google AdWords podrá acceder a varias herramientas útiles que puede utilizar sin llegar a tener que anunciarse. Una particularmente útil es Keyword Tool (`https://adwords.google.com/select/KeywordTool`), para cuyo uso deberá acceder previamente. Le permite escribir una palabra (o frase), proporcionándole una indicación de cuánta gente buscó dicha palabra el pasado mes, así como cuántos anunciantes rivalizan por dicha palabra en AdWords. Esto le dará una indicación de la popularidad del nicho y de si éste posee beneficios en potencia. Esta herramienta también le sugiere otras palabras relacionadas con las que introduzca, lo cual también resulta útil.
- **Google Trends:** Google tiene una herramienta llamada Trends (`www.google.com/trends`, véase la figura 2.4) que sirve para conocer el volumen de búsquedas en Google para diferentes términos de búsqueda. Aunque no le proporcionará números de búsqueda específicos y no generará resultados para cada término (sólo registra los más populares), es útil para saber si un nicho está expandiéndose o menguando, y le permite comparar dos términos diferentes para mostrar el tamaño de uno respecto al otro.

Figura 2.4. Google Trends.

- **Google Blog Search:** Le ofrece una visión de quién más mantiene un blog sobre un tema concreto.
- **Wordtracker:** Wordtracker (véase la figura 2.5) es una popular herramienta de búsqueda de palabras clave que tiene un periodo de prueba gratuito y que le permite cerciorarse de cuánta gente busca por distintas palabras y cuántos sitios compiten por esos nichos.

Figura 2.5. www.wordtracker.com.

- **Yahoo! Buzz:** Yahoo! Buzz (`http://buzz.yahoo.com/`) es un compendio de información sobre qué gente busca en el motor de búsqueda de Yahoo.

Aaron Wall también ha esbozado una estupenda lista de herramientas de búsqueda de palabras clave en www.seobook.com/archives/001013.shtml, échele un vistazo.

RESUMEN

Aunque la mayoría de blogueros decide iniciar un blog personal en sus comienzos, esperamos haber mostrado que, en el caso de los blogueros profesionales, un nicho bien seleccionado en el que se sienta a gusto escribiendo puede marcar la diferencia en lo referente a su potencial económico.

En este capítulo hemos explorado el concepto de los blogs de nicho y le hemos proporcionado una panorámica de los tipos de consideraciones que se deben hacer antes de escoger la temática del blog. Muchos blogueros no son conscientes de la importancia que tiene sobre qué se escribe. La materia a tratar por el blog, la audiencia a la que se dirige éste y, por tanto, el mercado al que se accede podrían ser factores determinantes para el éxito o el fracaso de su blog.

3. Configure su blog

Hasta ahora hemos analizado lo que significa mantener un blog y ser un bloguero profesional, y hemos investigado sobre qué le podría apetecer escribir, hemos empezado con buen pie. Pero antes de empezar a redactar artículos, debe configurar su blog.

En este capítulo vamos a ver los distintos paquetes de blog entre los que puede elegir, qué debe tener en cuenta al tomar la decisión y cuáles son las combinaciones más populares.

Cuando haya decidido qué enfoque cree que le viene mejor, tendrá que aplicarlo a su blog, configurándolo de manera que funcione correctamente y presente un buen aspecto.

Con estos objetivos en mente, vamos a recorrer paso a paso el proceso de configuración de un blog hospedado y la de un blog alojado en un servidor propio.

ESCOGER EL BLOG APROPIADO

- "¿Qué plataforma debo utilizar?"
- "¿Debería utilizar un blog de alojamiento gratuito o adquirir mi propio dominio?"
- "¿Cuáles son los pros y los contras de unos proveedores frente a otros?"
- "¿Puedo empezar con un servicio gratuito de blogs y migrar más adelante?"

Éstas son sólo algunas de las típicas cuestiones que recibimos a diario de los blogueros principiantes que intentan decidir qué plataforma o herramienta para blogs deberían utilizar.

No le voy a decir qué plataforma debe emplear, porque como verá más adelante, existen buenas razones para escoger la mayoría de las que se encuentran disponibles, dependiendo de los objetivos de su blog y sus propios recursos técnicos.

Con los años, las opciones disponibles para los blogueros han aumentado a la par que las dificultades técnicas se han reducido. Esto significa que ahora hay más opciones que nunca al alcance de cualquier bloguero en potencia. Ahora es tan fácil que cualquiera puede poner en funcionamiento un blog en cuestión de cinco minutos.

¿No se lo cree? Sólo tiene que seguir leyendo.

Plataformas disponibles

Como al tomar cualquier decisión importante, vale la pena que se tome su tiempo antes de hacer su elección. En el mercado existen muchas plataformas para blog que compiten entre sí y que varían en capacidad, complejidad, precio y popularidad. Blogger, que se muestra en la figura 3.1, es una de las plataformas más populares para los principiantes, pero precisamente por ello, la gente tiende a ver los blogs de Blogger como de baja calidad.

Figura 3.1. Blogger es uno de las plataformas para blogs más populares entre los principiantes.

Aunque puede cambiar la plataforma de su blog más adelante en cualquier momento y muchas de ellas proporcionan medios para transferir el contenido, por lo general ello conlleva algunas dificultades técnicas y puede que algunos costes. Determinar qué plataforma se adapta mejor es una elección personal, pero existen algunas cuestiones a responder que le facilitarán la decisión.

¿Cuáles son sus objetivos?

Al empezar el proceso de elección de la plataforma para el blog, lo más importante probablemente sea tener en cuenta las aspiraciones del blog. Obviamente, si ésta es su primera experiencia como bloguero puede que les cueste un poco visualizar su futuro en este terreno, pero haga lo posible por contestar algunas de las siguientes preguntas:

- ¿Escribir en blogs es un interés pasajero o algo que seguirá haciendo a largo plazo?
- ¿Cuál será el principal objetivo de su blog?
- ¿Lo hará por negocio, o sólo por diversión?
- ¿Tiene pensado incluir publicidad?

Obviamente, se hará muchas otras preguntas, pero las respuestas a este tipo de cuestiones son las que conviene tener en cuenta a la hora de investigar las plataformas para blogs. Algunos servicios se adaptan mucho mejor a los blogueros aficionados y otros son aplicaciones más profesionales.

¿Cuál es su mercado?

Como pasa con todo, las plataformas para blogs tienen diversos rangos de precios. Todas las plataformas hospedadas ofrecen distintos niveles de servicio y el software de instalación propia posee un abanico de precios que va desde lo gratis hasta lo caro (véase la figura 3.2). Básicamente, hay tres cosas por las que se podría pagar:

- El propio software o nivel de servicio del blog, puntual o continuo.
- El alojamiento mensual del blog.
- La tasa de renovación anual de su dominio.

El diseño personalizado y la programación a medida también pueden suponer un coste potencial, dependiendo de su presupuesto y de lo en serio que vaya. La mayoría de la gente comienza con diseños gratuitos y los modifican para adaptarlos a su gusto y sus necesidades.

	Básico	Plus	Pro Total Control	Business Class
Suscripción mensual	4,95€/mes * Ahorra en la suscripción anual: 2 meses gratis	8,95€/mes * Ahorra en la suscripción anual: 2 meses gratis	14,95€/mes * Ahorra en la suscripción anual: 2 meses gratis	89,95€/mes por blog * Ahorra en la suscripción anual: 2 meses gratis
Ancho de banda	2 GB	5 GB	10 GB	40 GB
Almacenamiento	100 MB	500 MB	1000 MB	Ilimitado
	Regístrate Prueba gratis	Regístrate Prueba gratis	Regístrate Prueba gratis	Contactar Prueba gratis
Soporte	✔	✔	✔	Prioritario
Miles de diseños	✔	✔	✔	✔
Publicar fotografías, vídeo y audio	✔	✔	✔	✔
Ganar dinero con publicidad	✔	✔	✔	✔
Mapeo de dominios (UsaTuDireccion.com)		✔	✔	✔
Blogs adicionales		Hasta 2	Ilimitados	Ilimitados *
Autores adicionales			Ilimitados	Ilimitados
Diseño totalmente personalizado			✔	✔
Facturación anual				✔
Múltiples administradores				✔

Figura 3.2. Los niveles de servicio de TypePad.

Algunos servicios, como Blogger y WordPress, ofrecen un servicio completo que comprende la plataforma, una dirección Web única (en formato `miblog.wordpress.com`) y un alojamiento gratuito.

TypePad ofrece un servicio en línea similar con todo incluido por una tasa mensual, pero con más opciones de personalización.

Hay otros que proporcionan software descargable, para que lo instalemos y alojemos por nuestra cuenta. De este modo, aunque la plataforma que ofrecen es gratuita, deberá encontrar y pagar su propio alojamiento y nombre de dominio. Hay algunos que incluso puede que le cobren por la licencia de la plataforma, dependiendo de cuántos blogs tenga y de si sus fines son comerciales, personales, educativos o sin ánimo de lucro, a lo cual tendrá que sumar además los costes del nombre de dominio y el alojamiento.

¿Le importan los aspectos técnicos?

Éste es un factor crucial a tener en cuenta al escoger una plataforma para el blog. Si no posee ninguna experiencia previa en la creación de un blog o un sitio Web y no le interesan los aspectos técnicos, hay algunas plataformas y configuraciones que se adaptarán mucho mejor a sus necesidades que si conoce algunos puntos clave, o al menos tiene intención de hacerlo.

La otra opción, obviamente, es encontrar a alguien que domine el apartado técnico para ayudarle, ya sea un amigo o una persona contratada.

Una de las mejores cosas de los blogs y de la mayoría de las plataformas es que existe una enorme comunidad que comparte sus conocimientos y que hay muchos foros dedicados a ayudar a la gente a obtener el máximo resultado de las plataformas escogidas (véase la figura 3.3).

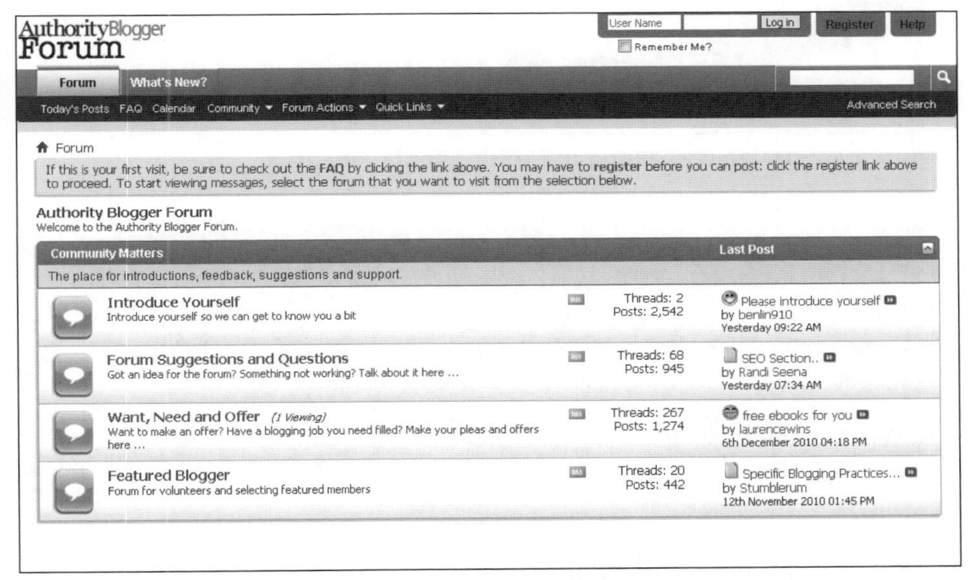

Figura 3.3. Existen muchos foros con ayuda para blogueros.

¿Qué plataformas para blogs utilizan los demás?

Aunque un blog es una elección personal que debería encajar con su propio estilo, es recomendable que eche un vistazo para ver cómo los han creado algunos otros, en particular la gente a la gente a la que conoce bien.

Durante los últimos dos años hemos asistido al nacimiento y a la desaparición de distintas plataformas, lo que nos hace suponer que esto es algo que seguirá ocurriendo en el futuro. La figura 3.4 muestra los resultados de un sondeo de `ProBlogger.net`.

Con diferencia, las plataformas más populares entre los blogueros son WordPress (tanto en su versión para alojamiento externo como el servicio en línea), Blogger, TypePad y Movable Type. Aunque hemos probado otras plataformas, actualmente utilizamos sobre todo WordPress.

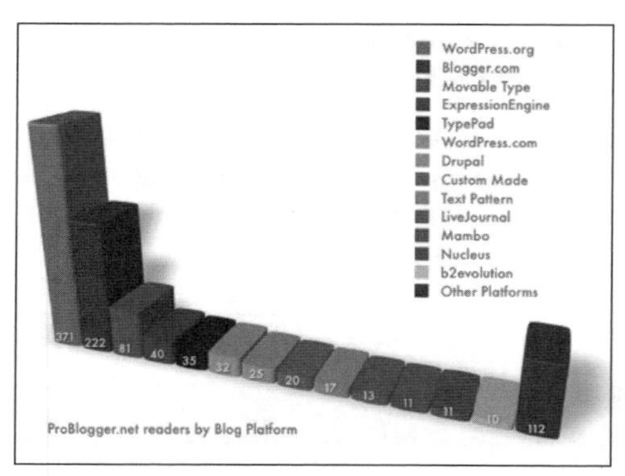

Figura 3.4. Sondeo realizado por ProBlogger.net en 2006.

Ejercicio

Eche un vistazo a sus blogs favoritos. ¿Podría decir qué plataforma utilizan? A veces los blogueros dejan, en el pie o en un recuadro del blog, un enlace al software empleado, y en ocasiones se puede identificar éste por la URL (por ejemplo, `algo.wordpress.org` o `algo.typepad.com`). ¿Cree que ese software le proporcionará lo que necesita?

Hospedados frente a alojamiento propio

Como comentamos anteriormente, existen dos tipos principales de plataformas para blog: el software que instala y aloja por su cuenta, y los servicios en línea que lo controlan todo automáticamente. Al hacer esta distinción, solemos hablar de blogs alojados en servidores propios y blogs hospedados.

Plataformas de blogs hospedados

Éste es el tipo de blog con el que empiezan muchos blogueros, sencillamente porque es rápido, fácil y en muchos casos, gratuito. Probablemente los más populares de estos sistemas entre los blogueros profesionales sean TypePad, WordPress y Blogger, de los cuales sólo TypePad cobra una tasa mensual.

Estos sistemas se consideran plataformas hospedadas para blogs, porque alojan a su blog dentro de su propio dominio. Tras lo que suele ser un proceso de configuración bastante sencillo, le proporcionan una dirección Web (una URL) que suele ser una combinación de su propia URL y el nombre de su blog, como por ejemplo `http://problogger.wordpress.com`.

Aunque esto es lo que se ofrece por defecto, con frecuencia actualmente se le ofrece la oportunidad de pagar una tasa para poder emplear su propio dominio. Si tiene pensado tomarse su blog en serio, vale la pena que tenga esto en cuenta.

Ventajas de las plataformas de blogs hospedados

Utilizar una plataforma hospedada posee muchas ventajas. Éstas son algunas de las más inmediatas:

- **Baratas o gratuitas:** La mayoría de las opciones son gratis.
- **Rápidas y fáciles de configurar:** La mayoría de estos tipos de blogs se pueden configurar con una plantilla básica por defecto en cuestión de minutos. Esta configuración generalmente consiste sólo en rellenar unos cuantos campos con opciones y en escoger una plantilla para el diseño. Son los ideales en caso de que no sepa nada o sepa muy poco de los aspectos tecnológicos de los blogs. Seguiremos comentándolos más adelante.
- **Fáciles de poner en marcha:** Una vez que haya completado por el sencillo proceso de configuración, los blogs hospedados suelen ser bastante fáciles de poner en marcha. Obviamente tendrá que aprender los puntos básicos, pero hoy en día la mayor parte de las plataformas poseen unas características muy intuitivas. Crear un artículo es tan sencillo como rellenar unos cuantos campos de texto y hacer clic en **Publicar**.
- **Actualización automática:** Si la plataforma del blog cambia, se actualizará automáticamente. No tendrá que subir el nuevo software a un servidor; estas actualizaciones tienen lugar de una manera mucho más opaca para el usuario.
- **Motores de búsqueda y tráfico:** Una de las ventajas de muchas plataformas de blogs hospedados es que están alojados y enlazados desde sitios que ya atraen tráfico y captan la atención de los motores de búsqueda. Esto servirá en parte para darle un pequeño empujón a su blog.

Desventajas de las plataformas de blogs hospedados

Aunque tener un blog hospedado posee muchas ventajas, siempre hay inconvenientes:

- **Menos configurables:** En un servicio en línea, las únicas opciones de configuración disponibles son las que le permita el servicio. Esto puede suponerle un problema o no, pero en la mayoría de los casos el número de opciones es menor.

- **Limitaciones en el diseño por defecto:** Aunque es algo que se da sólo para algunas plataformas, el caso es que algunos blogs hospedados acaban teniendo un aspecto muy similar entre sí. Esto se debe a que las plantillas por defecto se utilizan de manera masiva y a que estas plataformas no proporcionan un control completo sobre la apariencia.
- **Menor propiedad:** Otra queja habitual de los propietarios de los blogs hospedados es que se encuentran frustrados por no tener el control y la propiedad definitivos de sus blogs. Aunque sí son propietarios del contenido, la URL no es técnicamente suya y en cierto modo se encuentran a la merced de sus plataformas, en lo que se refiere al funcionamiento de su blog.
- **URL genérica:** Existen muchos blogs de gran éxito en plataformas hospedadas, pero la mayoría de los blogueros creen que tener una URL propia es algo mucho más profesional.
- **Dificultades para cambiar:** Uno de los problemas de empezar con una plataforma hospedada es que, cuando llegue el momento de cambiar, deberá hacer un cierto trabajo adicional para conservar a su audiencia y su tráfico entrante.
- **Opciones de monetización no comerciales, o carencia de estas:** La mayoría de las opciones de monetización asumen que usted es el propietario absoluto del sitio de su blog y que tiene control total sobre él. Algunas soluciones hospedadas prohíben crear un blog con fines comerciales.

¿Quién debería utilizar plataformas de blogs hospedados?

Si sólo desea crear un blog y no le preocupa demasiado tener su propio dominio ni está interesado en modificar su blog o emplear las mejores y más recientes características, las opciones hospedadas son una solución completamente válida.

De hecho, debe tener presente que aunque haya quien se burle de las plataformas hospedadas y diga que los blogueros de verdad no las utilizan, hay algunos blogueros populares que las utilizan con éxito o que empezaron con éstas. Por ejemplo, tres de mis blogueros favoritos dieron sus primeros pasos con este tipo de servicios: Scott Adams y Robert Scoble empezaron con blogs hospedados, y Seth Godin sigue empleando TypePad al día de hoy (`http://sethgodin.typepad.com/`).

Plataformas independientes para blogs

El otro tipo de plataforma para blogs es aquella en la que puede descargar, instalar y alojar el software por su cuenta. Esto es lo que hacemos Darren y yo actualmente con todos nuestros blogs. Observará que nuestros blogs tienen sus propios dominios, `chrisg.com` y `problogger.net`, y como dije antes, ambos empleamos WordPress dentro de nuestros propios espacios del servidor. Aunque estamos totalmente a favor de que la gente siga el camino de los blogs hospedados, al alojar el blog por su cuenta obtendrá un mayor control sobre éste. Obviamente, se trata de un arma de doble filo.

Ventajas de las plataformas para blogs alojadas en un servidor propio

Como comenté anteriormente, tanto las plataformas alojadas en un servidor propio como las hospedadas tienen sus pros y sus contras. Estas son las ventajas de los blogs alojados en un servidor propio:

- **Control total:** Dependiendo de sus habilidades con la tecnología y el diseño, los blogs independientes suelen ser muy ajustables. Aunque coincido totalmente con la faceta más *geek* de los blogs, el diseño no es el área en que más destaco, por lo que suelo delegar los asuntos estéticos en otros.

  Existen diseñadores dedicados a crear unos diseños increíblemente diversos e inteligentes para blogs, ofreciendo para su descarga temas tanto gratuitos como de pago, lo que hace posible que su blog tenga un aspecto fantástico.
- **Adaptabilidad:** Una de las cosas que más me gustan de WordPress el amplio conjunto de desarrolladores que están surgiendo, que ofrecen todo tipo de *plugins* que extienden las capacidades de la instalación básica de la plataforma. Muchos de las demás plataformas independientes tienen comunidades de desarrolladores que crean complementos similares.
- **Plataformas gratuitas:** Aunque al final tenga que pagar por su nombre de dominio y su alojamiento, sistemas como estos suelen ser de uso gratuito.
- **URL:** Tener su propio nombre de dominio es algo estupendo por muchos motivos. Es fácil de recordar, es más profesional y resulta más fácil convertirlo en una marca.

Desventajas de las plataformas alojadas en un servidor propio

Aunque tanto Darren como yo tenemos nuestros blogs configurados de esta manera, puede que esta elección no fuese la más adecuada en su caso, por los siguientes motivos:

- **Configuración complicada:** Una vez más, esto dependerá de sus habilidades técnicas, pero al pasar a las plataformas individuales la complejidad de la configuración tiende a incrementarse. En el menor de los casos, deberá ocuparse del alojamiento y el nombre dominio. Aunque dispone del apoyo de una amplia comunidad, para muchos esto puede ser un obstáculo.

  Un modo de simplificar el proceso es encontrar un alojamiento Web que proporcione instalaciones de paquetes populares con un solo clic. Más adelante en este capítulo veremos cómo esto puede simplificar mucho las cosas.

- **Coste:** Aunque la plataforma del blog en sí puede ser gratuita, deberá tener en cuenta los costes periódicos de tener su propio nombre de dominio (una tasa anual más una tasa de registro inicial) y la tasa del alojamiento (mensual o anual). Existen muchas ofertas en este terreno, por lo que no tendrá que gastarse demasiado, pero si su blog recibe una gran cantidad de tráfico, estos costes podrían crecer y entonces debería considerar la posibilidad de pasar a un plan más profesional, y por consiguiente más caro.

- **Actualizaciones:** La mayoría de las plataformas para blogs experimentan cambios y reciben nuevas versiones con el tiempo. Actualizar de una a otra puede ser complicado si no sabe bien lo que está haciendo.

- **Problemas con el alojamiento:** Cuando hablé de las contras de las plataformas hospedadas mencioné que se tenía menos control sobre el blog, quedando su funcionamiento a merced del proveedor del alojamiento. Obviamente, también puede ser aplicable a cualquier otro alojamiento, porque tarde o temprano cualquier alojamiento de pago es susceptible de tener algún problema.

Tanto si se decide por una solución hospedada como pos una independiente, de vez en cuando es conveniente hacer una copia de seguridad y ser consciente de que a veces las cosas pueden fallar. Escoja una empresa con reputación para asegurarse de tener la máxima fiabilidad.

¿Quién debería utilizar plataformas independientes para blogs?

Las plataformas independientes para blogs son ideales si quiere tener algo más de control o flexibilidad. Se pueden configurar para que tengan un aspecto y un funcionamiento muy profesional y para adaptarse a configuraciones en las que el único límite sea su imaginación.

Si aloja y controla el blog por su cuenta, será su auténtico propietario, con todo lo que ello conlleva, incluyendo la posibilidad de vender su blog a cambio de dinero llegado el momento.

Obviamente, el simple hecho de optar por un blog independiente no le garantiza que tendrá el blog perfecto. De hecho, si no tiene la capacidad suficiente para configurar estos blogs de la manera correcta (o no conoce a nadie que pueda encargarse de ello), un blog independiente puede acabar siendo un desastre poco profesional.

Este tipo de blog es lo que la mayoría de la gente considera una opción profesional. La mayoría de los principales blogs del mundo están alojados separadamente.

Hospedados o en servidor propio, ¿qué elegir?

Para resumir, por lo general le recomiendo a la gente que opte por un alojamiento propio, porque una vez configurado la parte más complicada ya ha pasado, con lo que se tiene un mayor potencial para ganar dinero directamente con el blog.

Si desea desarrollar un blog serio y tiene aspiraciones de llevarlo a un nivel más o menos profesional (sea un blog comercial o empresarial, uno hecho a su medida, o uno para ganar dinero gracias a anuncios), mi recomendación siempre irá encaminada al blog independiente.

Si no tiene mucha experiencia en esta área, vale la pena que dedique un poco de tiempo o dinero para configurarlo correctamente. No es necesario que alcance la perfección de inmediato. Si opta por un blog alojado en un servidor propio, el blog puede ir creciendo con usted.

Utilice una empresa de alojamiento que le permita hacer instalaciones de WordPress con un solo clic, para que la fase inicial de configuración sea más sencilla, con lo que después sólo tendrá que preocuparse de modificar las cosas para dejarlas como le gustaría.

Si va a crear un blog sólo por diversión, como un diario en línea para sus amigos o su familia, o si no dispone de tiempo, dinero o paciencia para poner en pie algo complejo, probablemente le vaya mejor con un blog hospedado.

Son instantáneos (le llevará 5 ó 10 minutos configurarlo) y, aunque puede que no le ofrezcan la misma cantidad de funcionalidades y que restrinjan sus ingresos potenciales, es probable que las funcionalidades que poseen se ajusten a sus necesidades.

Consejo para blogueros de ProBlogger: Consiga un blog gratuito

Independientemente del software que acabe utilizando, podría ser buena idea experimentar con algunos de los servicios hospedados. Esto le ayudará a hacerse una idea clara de las características y estilos que más le gustan y de los elementos que le cuesta más entender. La mayoría de los servicios en línea son completamente gratis o poseen periodos de prueba gratuitos que le permitirán experimentar sobradamente con la plataforma para conocer su funcionamiento.

ESCOGER UN NOMBRE DE DOMINIO

Es recomendable que los blogueros profesionales tengan su propio nombre de dominio, por varios motivos. Un dominio puede ayudar a los debutantes a adquirir credibilidad y dar una sensación de profesionalidad. De igual manera, un nombre de dominio cuidadosamente seleccionado hace que se vaya creando una marca y que sea más fácil recordarla, sea para un producto, servicio, negocio o incluso una persona. Comprar un dominio tiene la ventaja añadida de que los correos electrónicos tienen el mismo dominio (algo que redunda en la profesionalidad y la marca), además de potenciar el posicionamiento en los motores de búsqueda.

Factores a tener en cuenta al escoger un nombre de dominio

Las implicaciones que existen al escoger un nombre para un sitio Web son comparables a los factores a tener en cuenta al elegir el nombre de un hijo, empresa o mascota.

A continuación se muestra una lista de los factores que debe considerar al tomar la decisión. Recuerde que hay tantas teorías sobre lo que está bien y mal en esta área que, a pesar de las reglas de la gente, hay algunos sitios de éxito que las han ignorado en absoluto.

Tampoco debe olvidar que sus gustos personales entran en juego; con frecuencia, lo que puede parecerle un buen nombre podría significar algo diferente para otras personas.

Hecha esta aclaración, veamos unas cuantas áreas a tener en cuenta:

- **¿Cuáles son sus metas y objetivos?** Regresamos con frecuencia a este punto, porque hablamos de una parte importante de la visión a largo plazo de su blog. ¿Ha pensado en la posibilidad de venderlo?

- **¿De qué trata el blog?** Un punto de partida obvio, quizá, pero que vale la pena tener en cuenta. Los nombres pueden reflejar la temática o el nicho del blog.
- **¿Por qué se ha hecho bloguero?** Para usted, ¿ser bloguero es como tener un hobby? ¿Está más relacionado con desarrollar su perfil y sus conocimientos? ¿Su intención es ganar dinero a través de la publicidad? ¿Es un complemento para apoyar un negocio existente?
- **¿Qué enfoque adoptará?** ¿Será el único que escriba en el blog o habrá más autores? ¿Qué longitud tendrán los artículos?
- **¿En qué tono y estilo estará escrito?** ¿Será conversacional, de noticias, de opinión, profesional o humorístico?
- **¿Cuál es su audiencia potencial?** ¿Pretende gustar a los empresarios, a la gente joven, a los que van a la última, a las amas de casa, a sus paisanos, a los *geeks*...?
- **¿De dónde procede su tráfico?** Los dominios pueden generar tráfico directo, que es el que se da cuando la gente adivina o recuerda un nombre de dominio y lo escribe en la barra de direcciones en vez de buscarlo. Éste es el motivo de que dominios como `business.com` y `sex.com` valgan millones.

  Por otra parte, los dominios pueden influir en los motores de búsqueda si las palabras clave están presentes en el nombre.
- **Crear una marca:** Muchas de las discusiones sobre nombres de dominio tratan sobre escoger un nombre de dominio que incluyan palabras clave o nombres de dominio que sean genéricos o más fáciles de convertir en una marca. No son dos opciones incompatibles, aunque yo daría prioridad a la facilidad para recordar el nombre y la marca frente a las palabras clave. Se me viene a la mente el ejemplo de `Engadget.com`, que se ha convertido tanto en un nombre fácil de recordar como en una marca, además de incorporar la palabra *gadget* (dispositivo).
- **Futuros pasos:** Otro factor a tener en cuenta relacionado con definir unos objetivos y metas es plantearse el futuro del blog. Conozco a blogueros cuyos intereses cambiaron con el tiempo y que se ven atrapados por dominios que tienen un campo de acción restringido, o que desean pasar de tener un blog a una comunidad mayor. Por supuesto, se puede crear un nuevo dominio, pero resultará menos confuso y más fácil de situar en el mercado si da ese paso desde el principio.

  Otro factor a considerar de cara al futuro es saber cuántos blogs va a tener en su dominio. Eche un vistazo a `About.com` para ver un ejemplo de cómo es posible tener un dominio bajo el que operen varios blogs.

Para acabar con los planteamientos de cara al futuro, no escoja un nombre que crea que se puede quedar anticuado rápidamente. Escoger un nombre con referencias temporales específicas provocará que en el futuro tenga que buscarse otro nombre de dominio, cuando el actual deje de ser relevante.

- **Longitud y ortografía del nombre:** Hay diversidad de opiniones sobre cuál es la longitud ideal de un nombre de dominio. Técnicamente, se pueden tener nombres realmente largos que siguen siendo válidos, pero está generalmente aceptado que los cortos son mejores. Es recomendable que su público pueda ser capaz de decir, deletrear y recordar fácilmente su dominio. Cuanto más largo, más difícil será pronunciarlo o deletrearlo, y por tanto más difícil será que obtenga una buena difusión boca a boca.
- **Terminaciones de dominios.** Aparte de los debates sobre la longitud del nombre de los dominios, también están los referentes a qué terminaciones son preferibles para estos, es decir, lo que sigue al punto. Estas letras (`.com`, `.net`, `.org` y demás) se denominan técnicamente dominios de nivel superior (*Top Level Domains*, TLD) y se dividen en dos tipos. Los primeros son los TLD de código de país y los segundos son los TLD genéricos que hacen referencia a los distintos tipos de organizaciones (al menos en teoría).

  Hay muchas maneras de escoger qué TLD emplear, pero a menos que se vaya a centrar en un país específico (por ejemplo, `.fr` para Francia) o trabaje dentro de una estructura legal u organizacional concreta (por ejemplo, `.edu` para la educación), en general debería probar primero con `.com` y después con los demás, como `.org` o `.net`.
- **Guiones:** Otro debate continuo sobre los nombres de dominio es el relativo al valor de los nombres con guiones. Por ejemplo, una versión con guiones del blog de Darren podría ser `Pro-Blogger.net`. Existen dos razones principales para que alguna gente prefiera nombres con guiones:
  - **Disponibilidad:** Una de las principales razones para emplear guiones es que todos los nombres buenos están cogidos (o al menos eso parece). Gracias a los guiones disponemos de más opciones.
  - **SEO:** Hay quien dice que los guiones identifican las palabras clave más claramente. No obstante, tengo dudas sobre la eficacia de esto en términos globales.

  Obviamente, para cada positivo hay un negativo, y el uso de guiones presenta los siguientes inconvenientes:
  - **Facilidad para recordar:** Los guiones pueden hacer que a los lectores les cueste más recordar su nombre.

  - **Dificultad para comunicar:** ¿Ha intentado alguna vez decirle a alguien un nombre de dominio cuyas palabras están separadas por guiones? Resulta bastante incómodo.
  - **Se incrementa el margen de error:** Cuantos más caracteres tenga su nombre de dominio, más probable será que se escriba incorrectamente.
  - **Cuestión de imagen:** Da la impresión de que los guiones van asociados al spam. Yo no pienso eso de un dominio que tiene a lo sumo uno o dos guiones, pero los-dominios-que-tienen-montones-de-guiones-me-producen-rechazo. Hay muchos blogueros que han sido rechazados al solicitar enlaces a su blog debido al aspecto de sus dominios, por lo que mi consejo es que los evite.
- **Números:** Otra opción a tener en cuenta para escoger un dominio sobre un tema bastante concurrido es incluir un número en este. Una vez más, esto incrementa las probabilidades de encontrar un dominio que incluya su palabra clave, pero podría resultar más confuso (¿el número se deletrea o no?).
- **Manténgase dentro de la legalidad:** Piense seriamente en las implicaciones legales de las palabras que utilice en su nombre de dominio, evitando en especial nombres de marcas registradas. Conozco un par de casos en los que los blogueros se vieron forzados a hacer cambios cuando llevaban meses con su blog debido a amenazas legales.
- **La palabra "blog":** Una de las tentaciones de muchos blogueros es utilizar la palabra blog en el nombre y la URL de su blog. Yo lo hice con el dominio `dslrblog.com`. Tiene la ventaja de abrir nuevas opciones para los nombres pero restringe el uso del dominio, porque sólo podrá ser utilizado eternamente para un blog.
- **Proteger varios dominios:** Algo que muchos webmasters veteranos recomiendan es asegurarse de proteger otros nombres de dominio similares al que decida escoger al final. Por ejemplo, si elige un dominio `.com`, quizá valga la pena hacerse con los dominios `.net` y `.org` si es posible, o quizá incluso adquirir los plurales u otras combinaciones lógicas o similares. No es algo esencial pero podría ayudarle a proteger su nicho en determinadas circunstancias.
- **Opiniones de terceros:** Antes de comprar ese dominio al que ha echado el ojo, puede ser interesante que se lo comente a un par de amigos de confianza (que no le vayan a robar la idea). Resulta sorprendente hasta qué punto nos podemos obsesionar con la idea de encontrar el nombre apropiado hasta el punto de que ello nuble nuestro criterio. También es interesante cómo puede sonarle un nombre a una persona de una cultura

diferente. Las palabras significan cosas diferentes en partes distintas del mundo y esto podría ayudarle a evitar un error embarazoso, o simplemente un nombre anodino para el blog.

- **Nombres de dominio utilizados previamente:** Vale la pena que compruebe si un dominio ya ha sido registrado anteriormente. Con frecuencia los spammers compran nombres de dominio y los abandonan después de utilizarlos. Esto puede provocar que Google excluya el dominio, algo que podría afectarle negativamente en sus comienzos. Por otra parte, la gente abandona sitios perfectamente legítimos continuamente, por lo que un dominio expirado podría ser una ganga si tiene en cuenta que podrían existir ya enlaces que apuntan a él, o que podría tener ya cierto tráfico.

Registrar un dominio

Registrar un dominio es mucho más fácil que escogerlo. Como verá, cuando adquiera su alojamiento podrá registrar un dominio al mismo tiempo. La ventaja de esto es que su nuevo blog estará totalmente configurado y conectado al dominio, sin que tenga que meterse en complicaciones técnicas. También puede adquirir dominios adicionales de su empresa de alojamiento aprovechando esta ventaja, aunque puede que encuentre una oferta mejor en empresas populares para el registro de dominios como `GoDaddy.com` o `123-reg.co.uk`. La figura 3.5 muestra un servicio de este tipo.

Figura 3.5. Cómo registrar un dominio de manera independiente al alojamiento.

Si registra un dominio con una empresa diferente a la de su alojamiento, tendrá que hacer que el nuevo dominio apunte al alojamiento de su Web para poder sacarle partido. Consulte con su proveedor de alojamiento los detalles que deberá proporcionarle, u obtenga la ayuda de un amigo con conocimientos técnicos.

Ejercicio

Haga una lista con todos los posibles nombres de blog que se le ocurran y sus dominios asociados, y luego recorra la lista con un proveedor de dominios como `GoDaddy.com` para ver cuántos están disponibles. Cuando encuentre un dominio que esté libre, haga una marca en la lista junto al dato. En el caso de los dominios que están cogidos, eche un vistazo para saber qué ha hecho el propietario con el dominio elegido.
Cuando tenga una lista de dominios potenciales, ordénelos según su preferencia y consulte a sus amigos y colegas para conocer sus preferencias.
Si da con un dominio magnifico, ¡atrápelo!

CREAR EL BLOG

Hemos estado viendo las distintas opciones que tiene para crear su blog y también algunas cosas a tener en cuenta al seleccionar un nombre de dominio. Apuesto a que está deseando de crear ya su blog.

Primero vamos a ver lo fácil que es crear un blog hospedado con el servicio en línea de `WordPress.com`.

Cómo crear un blog hospedado en WordPress.com

Los blogs más fáciles de configurar son los hospedados; verá lo sencillo que resulta con las siguientes instrucciones. Si puede crear una cuenta de Hotmail o Gmail, puede abrir un blog.

1. Acceda a `http://wordpress.com/signup/` o a la página Web en castellano `https://es.wordpress.com/signup/` (véase la figura 3.6).
2. Introduzca un nombre de usuario y elija una contraseña. Este nombre de usuario será el nombre que utilice para acceder, pero también supondrá la primera parte de la dirección Web de su blog (por ejemplo, `nombredeusuario.wordpress.com`). Si está satisfecho con lo elegido, haga clic en **Sign up** (Inscribirse).

Figura 3.6. www.wordpress.com.

3. Ahora necesitará escoger un nuevo aspecto para su blog. Haga clic en **Change Your Template** (Cambiar su plantilla). Podrá elegir entre varios temas diferentes (véase la figura 3.7). ¡Que disfrute con su blog!

> **Ejercicio**
>
> Regístrese en el área de miembros del libro de Problogger y vea el vídeo de WordPress.com: `http://probloggerbook.com/?/register/bonus` (Asegúrese de escribir correctamente la dirección).
> Cree un blog en `WordPress.com` tal como se indica y utilícelo para llevar un diario de sus progresos como bloguero y sus reflexiones cotidianas. Será un buen entrenamiento y le ayudará a adoptar una mentalidad de bloguero.

Crear un blog independiente personalizado utilizando una instalación de un solo clic

La principal ventaja de un blog hospedado es lo fácil que resulta configurarlo. Como acaba de ver, puede tener un nuevo blog en menos de cinco minutos. Sin embargo, para un bloguero profesional un blog hospedado mostrará rápidamente sus limitaciones, y las molestias que supone una migración posterior son mucho mayores que las de la configuración de un blog personalizado desde el principio. En esta sección le mostraré lo fácil que puede ser poner en pie un blog personalizado, suponiendo que lo haga con el proveedor de alojamiento adecuado. Se trata de encontrar una empresa que permita instalar WordPress "con un solo clic", algo que a veces se anuncia como "Fantastico", que es el nombre de un sistema.

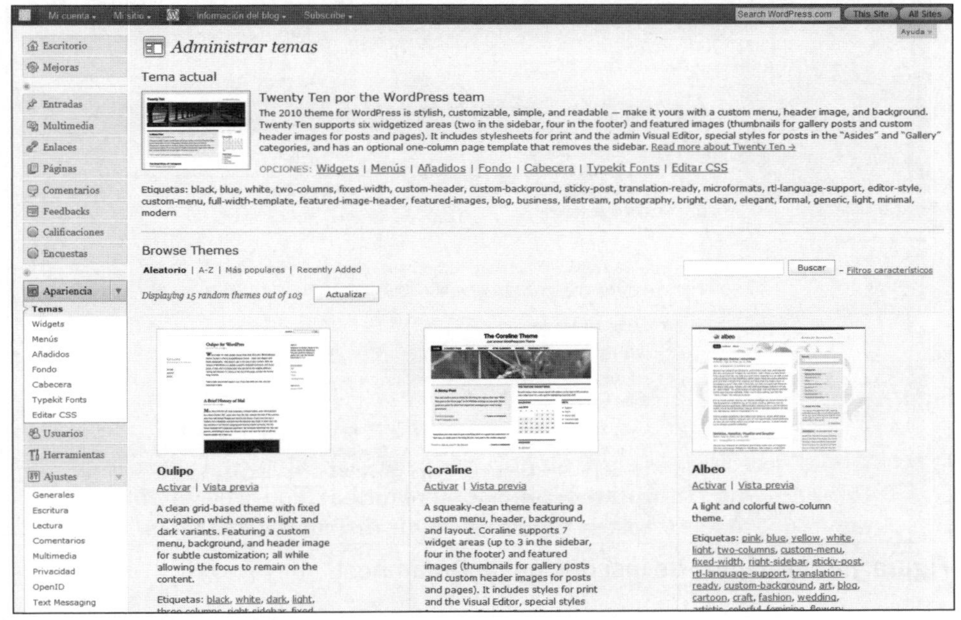

Figura 3.7. Escoja un tema.

Antes de contratar nada, es probable que tenga algún amigo que utilice actualmente un servicio de alojamiento de pago. La mayoría de estos servicios ofrecen mucha más capacidad de la que necesita un único bloguero normalmente. A lo mejor puede encontrar a alguien que le haga un hueco para su blog. De todos modos, cuando ya haya obtenido algunos beneficios, sería pertinente que se lo llevara a su propia cuenta.

Crear el blog

Para crear su blog, siga estos pasos:

1. Primero tendrá que contratar un servicio de alojamiento (como por ejemplo DreamHost, véase la figura 3.8) y decidir si desea pagarlo anual o mensualmente. También es el momento de elegir un nombre para

el dominio (consulte las indicaciones de la sección anterior). Será un dominio propio, de la forma `algo.com`, así que escójalo con cuidado. Es un formulario bastante largo, pero parece más complicado de lo que realmente es. Tómeselo con paciencia.

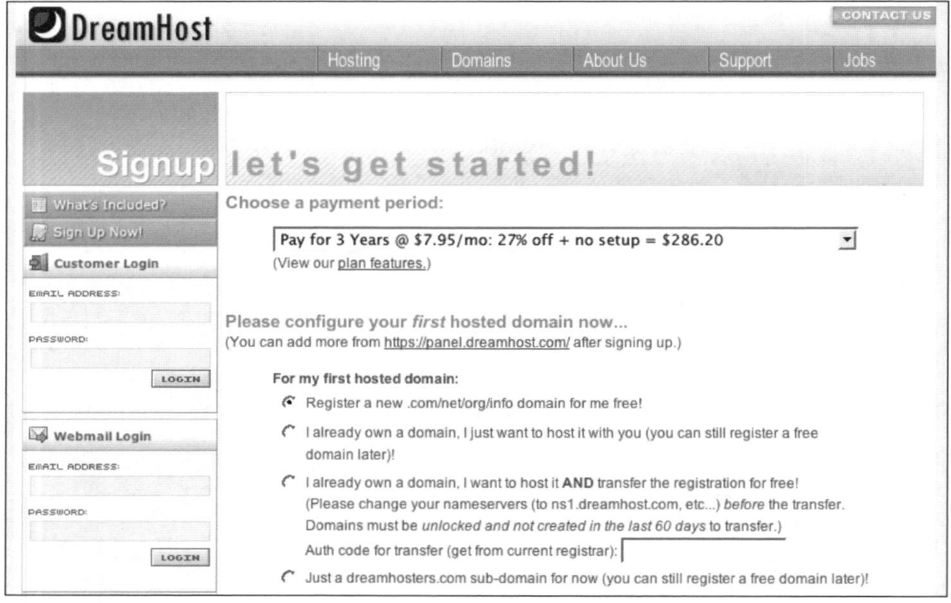

Figura 3.8. La página de inscripción de Dreamhost

2. Se le solicitarán los detalles del pago. La duración de este proceso depende de varias factores, aunque generalmente finaliza con la recepción de un correo confirmándole su nueva cuenta. Puede que le lleguen otros correos informándole de otros varios servicios a los que ya tiene acceso.
3. En este momento ya dispondrá de una cuenta de alojamiento y un registro de dominio. Puede que su dominio no esté visible hasta dentro de 24 ó 48 horas, pero ello no le impide seguir configurando su blog y para la mayoría de la gente no tarda tanto.
4. Cuando acceda a su cuenta debería ver una lista de opciones, normalmente en el lado izquierdo. Dentro de algo similar a Software o Goodies encontrará las opciones de instalación con un solo clic (One-Click-Installs) que buscamos, como muestra la figura 3.9.
5. Seleccione WordPress (véase la figura 3.10) y el dominio en el que desea hacer la instalación.

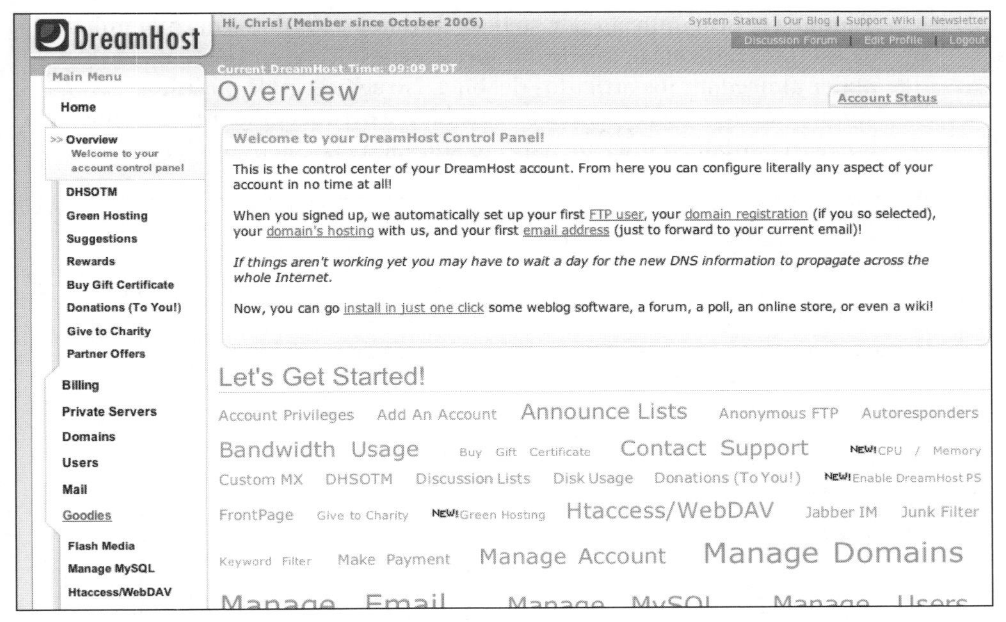

Figura 3.9. Instalación con un solo clic.

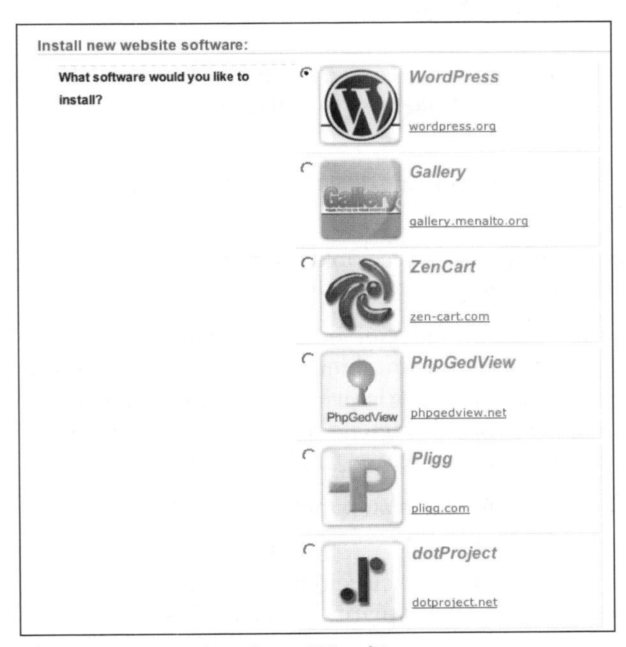

Figura 3.10. Seleccione WordPress.

También le preguntarán por su base de datos y los datos del alojamiento de esta; se trata de la base de datos que necesita crear el sistema para poder almacenar los artículos del blog. No se preocupe por esto; simplemente ponga el nombre de su blog y **mysql** como nuevo nombre de host. Su pantalla tendrá un aspecto similar a la de la figura 3.11.

Figura 3.11. Los detalles de la base de datos.

En cuestión de 5 ó 10 minutos recibirá un correo electrónico avisándole de que su nuevo blog está operativo. Sólo tiene que acceder a la dirección Web que solicitó.

6. Cuando visite su dominio, verá un mensaje de su nuevo blog. Haga clic en el enlace `install-php`.
7. Se le pedirá un título para el blog y su dirección de correo en una pantalla similar a la mostrada en la figura 3.12.
8. La siguiente pantalla le indica si la instalación ha tenido éxito y le mostrará su contraseña provisional, que también se le enviará por correo. Sólo necesita esta contraseña para acceder la primera vez; más adelante podrá cambiarla por algo que le sea más fácil de recordar. Si todo ha ido bien, su pantalla tendrá el aspecto de la figura 3.13.
9. Una vez que haya accedido, se le mostrará su panel de control, que es parecido al de la instalación de WordPress (véase la figura 3.14).

   Como antes, dispone de la posibilidad de seleccionar un nuevo tema. Acceda a Apariencia y Temas. Cambie las plantillas haciendo clic en la que desee.

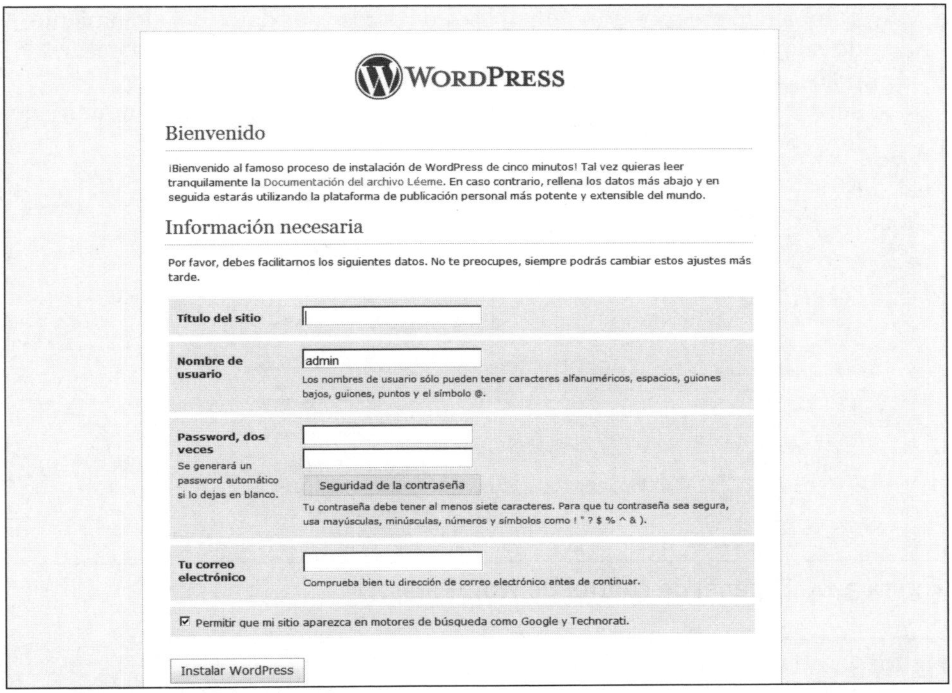

WordPress
Bienvenido
¡Bienvenido al famoso proceso de instalación de WordPress de cinco minutos! Tal vez quieras leer tranquilamente la Documentación del archivo Léeme. En caso contrario, rellena los datos más abajo y en seguida estarás utilizando la plataforma de publicación personal más potente y extensible del mundo.
Información necesaria
Por favor, debes facilitarnos los siguientes datos. No te preocupes, siempre podrás cambiar estos ajustes más tarde.
Título del sitio
Nombre de usuario
admin
Los nombres de usuario sólo pueden tener caracteres alfanuméricos, espacios, guiones bajos, guiones, puntos y el símbolo @.
Password, dos veces
Se generará un password automático si lo dejas en blanco.
Seguridad de la contraseña
Tu contraseña debe tener al menos siete caracteres. Para que tu contraseña sea segura, usa mayúsculas, minúsculas, números y símbolos como ! " ? $ % ^ &).
Tu correo electrónico
Comprueba bien tu dirección de correo electrónico antes de continuar.
Permitir que mi sitio aparezca en motores de búsqueda como Google y Technorati.
Instalar WordPress

Figura 3.12. Los detalles del blog.

WordPress
¡Lo lograste!
Wordpress se ha instalado correctamente. ¿Esperabas más pasos? Sentimos decepcionarte. :)
Nombre de usuario
admin
Contraseña
Tu contraseña elegida.
Acceder

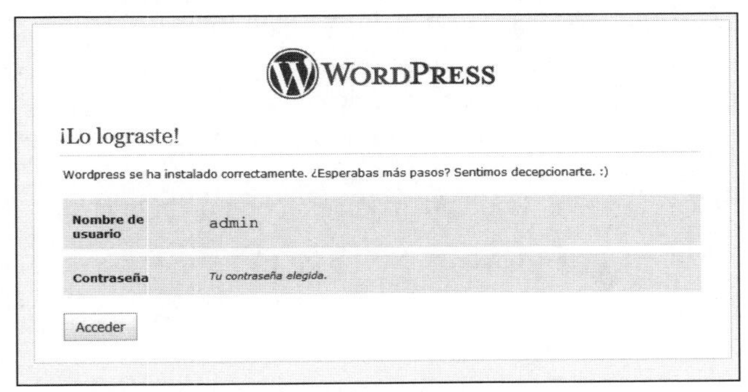

Figura 3.13. Instalación realizada con éxito.

10. Aunque su blog está ya totalmente configurado, es aconsejable que eche un vistazo a los elementos del menú Ajustes para configurar su blog exactamente como le gustaría, ajustando el tema, la fecha y la hora, y los Permalinks, donde puede configurar WordPress para que emplee unas URL más legibles (amigables), utilizando por ejemplo `myblog.com/post-name/` en vez de `myblog.com/?p=123`).

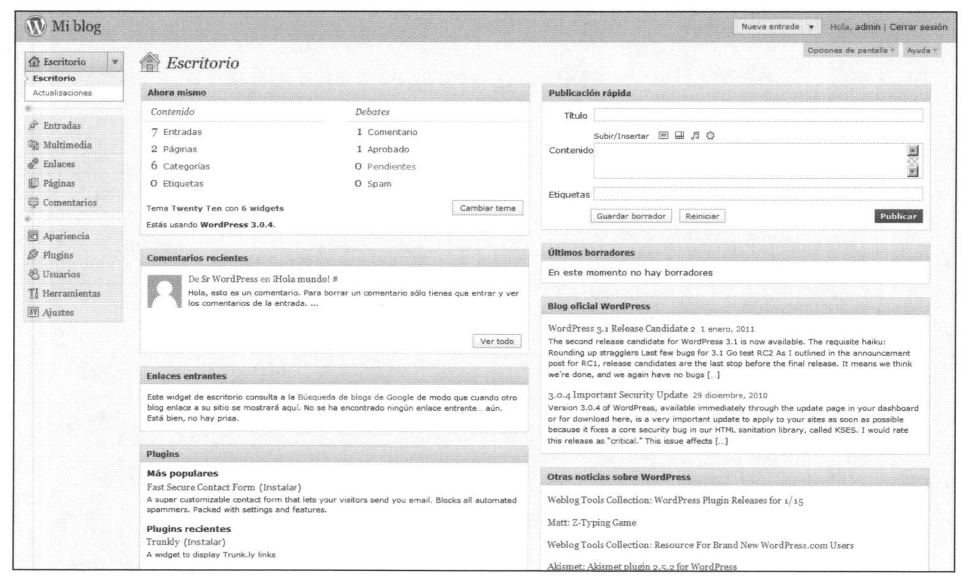

Figura 3.14. El panel de control de WordPress.

> **Ejercicio**
>
> Si ya dispone de una cuenta en un proveedor de alojamiento, compruebe si ofrecen alguna instalación de WordPress de un solo clic. En caso contrario, pregunte en su entorno sobre las empresas de alojamiento que podría utilizar. Si sus amigos no le son de ayuda, siempre puede recurrir a sus blogueros favoritos para que le digan cuáles utilizan; a la mayoría le gustará recomendarle la empresa que han elegido. Si aún no tiene ninguna, regístrese en el área de miembros del libro de ProBlogger y vea el vídeo de instalación con un solo clic:
>
> `http://probloggerbook.com/?/register/bonus`

MEJORAR EL BLOG

Cuando el blog esté configurado querrá personalizarlo con sus especificaciones. WordPress le facilita este paso mediante el uso de temas y plugins. Tanto unos como otros son simples colecciones de archivos que se suben a su instalación de WordPress. Los temas cambian el aspecto del blog y los plugins agregan funcionalidades que no se incluyen en el WordPress básico. El método para hacer esto es casi el mismo para ambos; se puede hacer a través de la interfaz o manualmente.

Para añadir un plugin utilizando la interfaz, siga estos pasos:

1. Acceda al panel de control de administración de su blog.
2. Acceda al área de plugins haciendo clic en Plugins.
3. Haga clic en el botón **Añadir nuevo** que hay junto a Plugins en la parte superior de su pantalla.
4. Busque un plugin y haga clic en **Instalar ahora**.
5. Otra alternativa sería subir el archivo desde su equipo utilizando la funcionalidad que hay para tal fin.

Para subir un plugin manualmente, utilizando FTP, siga estos pasos:

1. Descárguese un archivo zip que contenga el nuevo tema o plugin.
2. Descomprímalo para obtener los archivos reales que contiene el zip.
3. Súbalos al directorio adecuado de su blog mediante FTP.
4. Active los plugins utilizando el elemento de menú Plugins. Los temas se seleccionan igual que los que vienen por defecto.

Los plugins se deben subir al directorio `wp-content/plugins directory` del blog y lo temas van a `wp-content/themes`.

Puede encontrar temas nuevos en Apariencia>Temas o en `wordpress.org/extend/themes/`. Existe además una lista de plugins en `codex.wordpress.org/Plugins`.

Uno de los primeros plugins que instalo siempre es un formulario de contacto, que permite una fácil comunicación con los visitantes del sitio a través de un sencillo formulario que le enviará un correo electrónico cada vez que se utilice. Además de facilitarle el contacto, le evitará tener que exponer su dirección de correo al mundo. A diferencia de muchos otros plugins, su implementación precisa un paso adicional, que vamos a utilizar como ejemplo a continuación. Veamos el proceso paso a paso.

Añadir un formulario de contacto a su blog WordPress personalizado

Los siguientes pasos le muestran cómo añadir un formulario de contacto a un blog WordPress alojado en un servidor propio:

1. Busque el plugin del formulario de contacto utilizando Plugins>Añadir nuevo. El que yo utilizo se llama Enhanced Contact Form y su autor es Joost Devalk.

2. Haga clic en Instalar ahora para descargar e instalar el plugin y pulse Activar plugin para activarlo.
3. Necesitará configurar el formulario de contacto en Ajustes>Contact Form. Normalmente esto activaría el plugin, sin necesidad de más acciones. Sin embargo, el formulario de contacto necesita estar ubicado en una página de contacto, y esa página debe configurarse.
4. Acceda a Páginas>Añadir nueva e introduzca un título; algo como "Contacto" o similar. Puede introducir cualquier contenido que le apetezca, pero deberá agregar un fragmento especial de texto en HTML para que se muestre el formulario. Introduzca exactamente lo siguiente:

```
[wpcf]
```

5. Debajo del título encontrará un enlace permanente, que es la URL de la dirección que tendrá la página tras su publicación. Asígnele el valor "contacto"; algo corto, con significado y fácil de recordar. Haga clic en **Publicar**.
6. Su página ya está creada, pero nadie podrá encontrarla aún. Acceda a Apariencia>Editor y edite su Cabecera o Barra lateral, dependiendo de dónde desee mostrar el enlace.
7. Busque otros enlaces a páginas, como Acerca de que ya se encuentren operativos y añada el nuevo tras este. En la mayoría de los casos los enlaces se guardan en listas, así que asegúrese de añadir su nuevo enlace antes de la etiqueta `</ul>` de cierre:

```
   <li><a href="/contact/">Contact</a></li>
</ul>
```

8. Haga clic en Actualizar archivo y eche otro vistazo a su blog con el enlace Vista previa. Si todo ha ido bien, su nuevo formulario de contacto debe aparecer como parte de los elementos de navegación, listo para su uso.

DETALLES A TENER EN CUENTA EN EL DISEÑO DEL BLOG

Buena parte del impacto inicial de su blog se debe a su diseño. En la sección anterior simplemente elegimos una plantilla de las disponibles, pero sus probabilidades de éxito serán mayores si dedica un poco de tiempo y esfuerzo a proporcionarle a su blog el aspecto perfecto. Los malos diseños producen rechazo en mucha gente incluso antes de haber leído una sola palabra del contenido. Un buen diseño puede realzar bastante su contenido, haciendo que su blog parezca más cuidado y personal, algo sin duda útil para captar suscriptores. Antes de seleccionar un diseño para un blog, deberá decidir algunos detalles:

- **¿Cuál es el objetivo de su blog?** ¿Su intención es sacarle partido a AdSense, vender productos, buscar la fama? Las plantillas de AdSense suelen dejar más espacio a los anuncios, mientras que si lo que busca es fama es recomendable que dedique una amplia zona en un recuadro para el apartado "Acerca del autor".
- **¿Cómo es su audiencia?** ¿Extravagante? ¿Conservadora? ¿Vanguardista? Si su audiencia objetivo es la sala de reuniones, necesitará un diseño más convencional que en el caso de que sus lectores sean mayoritariamente diseñadores. Esto determinará los colores y gráficos elegidos.
- **¿Qué funciones específicas necesita el sitio?** Ciertas plantillas tienen más capacidades que otras. Algunas se crean para satisfacer un determinado propósito, como las plantillas para blogueros fotógrafos. ¿Necesita lengüetas en el encabezado? ¿Una presentación de imágenes aleatorias? ¿Citas flexibles? Lo que sigue son algunas funcionalidades estándar para las que quizá tuviera que hacer espacio:
  - Detalles de contacto.
  - Detalles, fotografía o biografía del autor.
  - Publicidad.
  - Archivos por categorías.
  - Archivos por fecha.
  - Logotipo.
  - Botones para suscripción.
  - Inscripción al boletín de noticias.
  - Buscador.
  - Enlaces a otros blogs.
  - Lista de artículos recientes.
  - Enlaces a los artículos antiguos más importantes.

Un mundo de color

Como todo el mundo sabe, los colores influyen en el estado de ánimo. ¿Qué estado de ánimo desea mostrar en su blog? Decididamente, obtendrá resultados diferentes con un blog rosa que con un blog gris. Los colores significan algo, aparte de quedar bonitos. Ya conoce los clásicos:

- Rojo = pasión, sangre, ira.
- Azul = conservador, negocios.

- Verde = naturaleza, actividad.
- Gris = formal, serio.

Escoja detenidamente el ambiente que desea proyectar y los posibles significados que están asociados a su esquema de colores.

Ejercicio

Eche un vistazo a los blogs de su nicho deseado. Busque blogs fuera de su nicho. ¿Qué estilos de diseño desea? ¿Alguno de éstos muestra enlaces en sus pies al tema o al diseñador del tema? Visite también alguna galería en línea y busque en Google por el término "WordPress theme". Cuantos más ejemplos conozca, más seguro estará de lo que le gusta y mejor preparado estará cuando llegue el momento de construir su blog como desee.

Personalizar la plantilla de un blog

En la mayoría de los casos necesitará que su plantilla parezca única. Su blog debe destacar y ser suyo, sin confusión posible.

Una buena plantilla que puede tomar como punto de partida es Cutline, creado por Chris Pearson (véase la figura 3.15). Lo puede obtener de `http://cutline.tubetorial.com/`.

Aunque realizar una intervención de cirugía mayor sobre la plantilla queda fuera del ámbito de este libro (y mis capacidades), las dos principales cosas que la gente necesita cambiar son bastante sencillas: el encabezado y los colores.

Cambiar la imagen del encabezado

A diferencia de la mayoría de los temas, Cutline posee varias imágenes de encabezado dependiendo del tipo de página en la que se encuentre. Vamos a cambiarlo para que emplee sólo una imagen de encabezado.

Las imágenes se guardan dentro del directorio de imágenes de Cutline, en `wp-content/themes`. Son archivos JPEG de 770 píxeles de ancho por 140 de alto. Voy a crear una nueva imagen de encabezado del mismo tamaño con Photoshop.

Figura 3.15. El tema Cutline.

Tras guardar mi imagen, la voy a subir al directorio de imágenes. Aunque el mero hecho de subirla no la hará aparecer; tendré que alterar el código que muestra el encabezado.

Para ello necesito utilizar el editor de temas, que se encuentra dentro del menú, en Apariencia>Editor. El archivo a editar es `Cabecera`. En Cutline, todo el final del archivo `Cabecera` es un código que hace que se muestren las diferentes imágenes de encabezado.

Sustituya el código que hay entre:

```
<div id="header_img"> … </div>
```

por:

```
<img src="<?php bloginfo('template_url'); ?>/images/header.jpg"
width="770"
   height="140" alt="<?php bloginfo('name'); ?> header image 1"
title="<?php
   bloginfo('name'); ?>" />
```

Esto hará que su nuevo encabezado se muestre en todo momento.

Consejo para blogueros de ProBlogger

Puede que crear su propio diseño le cueste bastante; no pasa nada, a mí me ocurre igual. Aunque los diseños punteros pueden resultar caros, una de las mejores cosas de ser bloguero es la comunidad. Es posible encontrar excelentes diseñadores de blogs por mucho menos de lo que cabría esperar, especialmente para elementos específicos como gráficos de encabezado. Pida consejo en los foros y en las comunidades de freelances como RentACoder (`www.rentacoder.com`), y no deje de poner una solicitud en Craigslist (`www.craigslist.org`).

Colores cambiantes

Otra modificación posible podría ser alterar el esquema de colores de algún modo. Esto es un poco delicado, porque hay que encontrar la parte correcta del código a cambiar, teniendo cuidado de que estas modificaciones no lo estropeen.

Con el tema Cutline viene un archivo especial llamado `Custom.CSS` que le permite realizar sus propios cambios sin alterar la hoja de estilos original.

Los colores HTML emplean el formato de numeración hexadecimal de seis dígitos para representar los valores del rojo, el verde y el azul. Voy a cambiar alguno de los elementos para que sea rojo, color representado por el valor `#a00` (es decir, mucho rojo pero nada de verde ni azul).

Primero me gustaría cambiar el estado "actual" de los enlaces del menú, para que en vez de verdes sean rojos:

```
.custom ul#nav li a.current, ul#nav li a.current:visited, ul#nav
li a.current:hover { color: #900; text-decoration: underline; }
```

Este código puede ser una pesadilla para cualquiera que no esté acostumbrado a ello. A nosotros sólo nos preocupa la parte del color rojo, en la que he cambiado el valor por `#900`, un rojo oscuro.

A continuación voy a cambiar los colores de la columna para que coincidan:

```
.custom li.widget h2, li.linkcat h2 { font-weight: bold; fontsize:
1.077em; text-transform: uppercase; letter-spacing:
normal; margin: 0 0 0.8em 0; padding: 0.4em 2px; border-top: 3px
solid #a00; background: #ddd url('images/hr_dot_black.gif') 0
100% repeat-x; }
```

Ahora las líneas negras han cambiado a rojo y el fondo de los titulares es gris claro (de color `#ddd`).

Al editar los estilos personalizados es aconsejable que cree una cabecera multifuncional. Ahora mismo Cutline muestra una imagen que es independiente del nombre de su blog; el siguiente código las convierte en una misma cosa. Deberá eliminar la imagen que introdujimos anteriormente en `Cabecera` para que esto funcione sin mostrar dos cabeceras.

```
.custom #masthead { width: 770px; height: 100px; background:
#ddd
url('images/header.jpg') no-repeat; }
.custom #masthead h3 { margin: 0 0 0.75em 0; font-weight:
normal; font-size: 1.8em;
   text-transform: none; color: #a00; text-align: center; }
```

RESUMEN

Hemos abarcado mucho terreno en este corto capítulo; espero que no se vea desbordado.

La idea más importante de este capítulo es que configurar su blog no tiene que ser necesariamente tan difícil como podría parecer a priori. Aborde la tarea con un espíritu lúdico y explorador, en especial si se trata de su primer blog.

No está de más reiterar que el mundo de los blogs está lleno de gente, localizable a través de foros y listas de correo. Si cualquier información de las incluidas en estos capítulos le resulta confusa, puede buscar la ayuda tanto de los autores como de la comunidad de blogueros.

4. Escribir en un blog

Se ha escrito mucho sobre qué es lo que lleva a un blog al éxito, pero todos los expertos están de acuerdo en que todos los grandes blogs coinciden en un elemento: un magnífico contenido. El lema "el contenido manda" lleva años resonando en la blogosfera; aunque creo que el término ignora otros aspectos de lo que convierte a un blog en exitoso, el contenido es un ingrediente clave de un blog de éxito.

¿QUÉ ES UN BUEN CONTENIDO?

La definición de buen contenido es un ejercicio subjetivo (quizá tanto como lo es definir un buen libro o una buena película). Un buen contenido varía según la persona en función de sus necesidades, el asunto del que se hable y quizá incluso la ética del sujeto. Los blogueros no son los únicos que tienen distintos puntos de vista sobre lo que es un buen contenido, en los lectores también hay diversidad de opiniones. Sé que cada vez que indague las reacciones de lo que escribo en ProBlogger voy a obtener un amplio espectro de respuestas.

Dicho esto, hay algunas cosas que se pueden decir sobre un buen contenido y en este capítulo vamos a intentar desvelar alguna de ellas. En la mayoría de los puntos que veremos surgirán elementos de debate, pero espero que pueda escoger e identificar los elementos que mejor resultado le dan. Así pues, sin más dilación, pasemos al primer aspecto que denota un contenido de calidad.

Utilidad y unicidad

Permítame iniciar nuestra exploración de lo que es un buen contenido con una afirmación obvia pero importante:

> Para que un blog tenga éxito, su contenido debe ser útil y único para sus lectores.

Aunque parece una perogrullada, hay dos preguntas que los blogueros deben hacerse continuamente: "¿Mi blog es útil?" y "¿En qué se diferencia de otros blogs?".

Recuerdo que en la época en la que estudiaba marketing cada vez estaba más frustrado cuando escuchaba a mis profesores inculcarnos la misma idea una y otra vez. Aunque lo decían de maneras diferentes, la lección que transmitían era básicamente la misma en cada caso y se podía resumir en esto:

"Comenzad por el cliente: averiguad lo que desea, y proporcionádselo".

Esta enseñanza es igualmente aplicable a los blogueros.

También le recomiendo que como bloguero empiece por sí mismo, escribiendo sobre sus pasiones, experiencias y conocimientos, teniendo presentes en todo momento a sus lectores, con el fin de crear contenidos que añadan algo a sus vidas. Proporciónele algo útil y único.

¿Qué es el contenido útil?

Para mí, el contenido útil es diferente de lo que pueda ser para usted, pero podría entrar en cualquiera de los siguientes campos:

- **Entretenimiento:** Cada vez más, los blogs son una fuente de entretenimiento. La gente acude a ellos para echar unas risas, cotillear o tener una conversación amena.
- **Educación:** Algunos lectores de blog están interesados ante todo en aprender algo sobre una materia determinada.
- **Información:** Muchos blogs de éxito surgen en base a la demanda de información que existe sobre un problema, producto o tema.
- **Debate:** Algunos lectores de blogs buscan un lugar en el que tener una buena conversación a la antigua usanza, o incluso discutir sobre algún problema.
- **Noticias:** Muchos lectores lo único que quieren es estar al día de las últimas noticias sobre un asunto.
- **Comunidad:** A la gente le gusta sentir que pertenece a un sitio. Muchos blogs de éxito se basan en esto para conectar a gente interesada en una misma materia. Con bastante frecuencia, el tema es una cuestión secundaria frente a las relaciones reales que se crean en el blog.

Cada blog posee el potencial para ser útil de un modo diferente, por lo que probablemente no fuera acertado iniciar un blog que intentara ser todas estas cosas a la vez (aunque muchos blogs comprenden varios de estos aspectos).

Investigue a su audiencia

El mejor consejo que le podría dar para desarrollar contenido útil es que investigue a sus lectores (o a sus lectores potenciales). Si ya tiene un blog, sondéeles (formal o informalmente) o pídales opinión. Yo suelo preguntarles a mis lectores; buena parte de lo que escribo proviene directamente de estas consultas.

Otro truco rápido para saber qué preguntas se hacen sus lectores es revisar las estadísticas de referencia de su blog para ver qué palabras escribe la gente en los motores de búsqueda para localizar su blog. Una magnífica pequeña herramienta para esto es Google Webmaster Tools, que registra cómo llega la gente a su blog e identifica las preguntas que hacen sus lectores en los motores de búsqueda.

Si no tiene aún ningún blog, deberá trabajar un poco más para investigar a sus lectores potenciales. Consulte a sus amigos, siga las secciones de comentarios de otros blogs de la misma temática para ver qué preguntan los lectores y busque en los foros y grupos de discusión que tratan esos asuntos, en los que se suelen hacer preguntas continuamente.

Conforme vaya haciendo esto se irá sabiendo qué busca la gente y qué podría ser capaz de proporcionarles para satisfacer sus necesidades.

Ejercicio

¿A quién atraen sus blogs favoritos? ¿Por qué? Dedique un tiempo a pensar en a quién desea atraer a su blog y el tipo de trabajo, estilo de vida y necesidades que tienen.

Contenido único

Otro factor a tener en cuenta al pensar en un buen contenido es su unicidad. Technorati nos dice que se crea un blog cada segundo y que actualmente existen diez millones de blogs, lo que convierte en un reto la creación de un blog que destaque entre la multitud. Todos los días veo blogs que proporcionan información útil pero que no tienen lectores, sencillamente porque la gente obtiene dicha información de otros sitios.

Distíngase

Los nuevos blogueros que intentan irrumpir en un nicho en el que ya hay otros escritores deberían visitar los blogs y sitios Web de estos y realizar un cierto análisis del tipo de contenido que producen.

En la mayoría de los nichos descubrirá que todos los sitios presentan una información muy similar con un tono, una actitud y un estilo bastante similares. Como bloguero debutante en la materia, tiene la opción de imitar lo que están haciendo e intentar ser mejor que ellos (difícil, porque ellos ya tienen lectores fieles y, a menos que su estilo sea brillante es improbable que acapare la atención de dichos lectores), o bien puede diferenciarse de algún modo de lo que los demás están haciendo.

Esto podría significar centrarse en un asunto ligeramente distinto (quizá en un subnicho), pero también podría significar escribir con un tono diferente (eche un vistazo al blog Manolo's Shoe para ver un ejemplo de bloguero que se ha granjeado una audiencia de culto escribiendo sobre una extraña combinación de asuntos como bloguero anónimo, escribiendo en tercera persona).

Esto podría también implicar escribir artículos con un enfoque distinto. Es decir, si todo el mundo escribe artículos con noticias, los suyos podrían estar más centrados en su opinión al respecto.

Reúna los elementos que hacen que su contenido sea útil y único, y estará un paso más cerca de crear un blog de éxito.

CONSEJOS DE ESCRITURA PARA BLOGUEROS

Escribir para la Web (y más en concreto en blogs) es muy distinto a escribir en otros medios. En esta sección vamos a comentar algunos trucos prácticos para escribir como un auténtico bloguero.

Contenido identificable

Los internautas no se caracterizan por permanecer mucho tiempo en las páginas Web, pues suelen pasar muy por encima de los contenidos, en vez de leerlos palabra por palabra. En el caso de los *feed* RSS, esto se acentúa aún más. En vez de leer cada una de las palabras de una página Web, los usuarios hacen un barrido de la página en busca de información, intentando identificar palabras clave, frases y pistas visuales. Por consiguiente, es muy importante que aprenda a escribir contenidos que sean identificables.

Vamos a ver unos cuantos consejos y técnicas que puede utilizar para trabajar con sus lectores, en vez de hacerlo contra ellos:

- **Listas:** Esto probablemente no sorprenderá a los lectores de ProBlogger; soy muy aficionado a las listas y mis estadísticas muestran que los artículos míos que contienen listas de boliches o listas numeradas reciben muchos más enlaces y lecturas que otros de longitud similar escritos con un estilo más literario. Puede ver un ejemplo de lista en la figura 4.1.

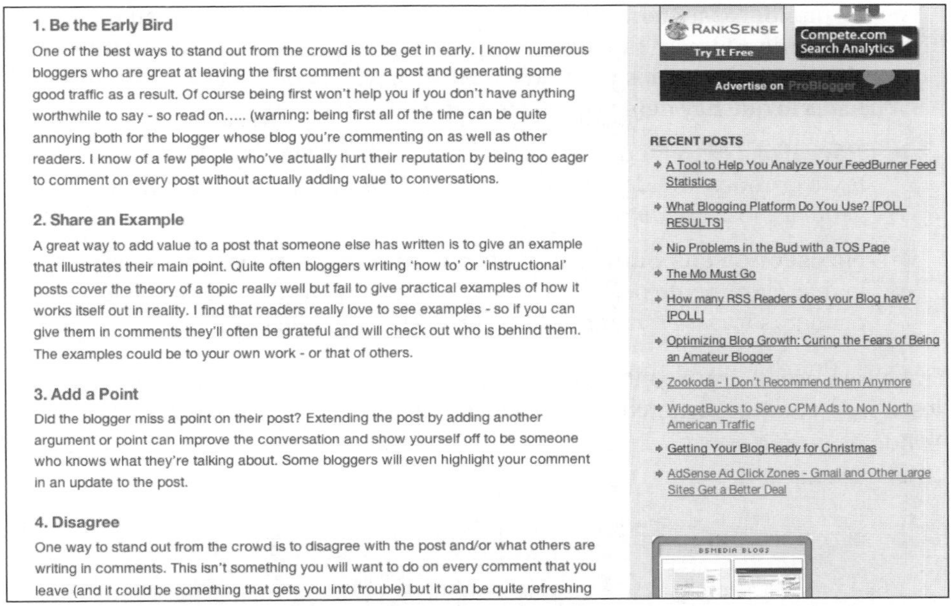

1. Be the Early Bird

One of the best ways to stand out from the crowd is to be get in early. I know numerous bloggers who are great at leaving the first comment on a post and generating some good traffic as a result. Of course being first won't help you if you don't have anything worthwhile to say - so read on..... (warning: being first all of the time can be quite annoying both for the blogger whose blog you're commenting on as well as other readers. I know of a few people who've actually hurt their reputation by being too eager to comment on every post without actually adding value to conversations.

2. Share an Example

A great way to add value to a post that someone else has written is to give an example that illustrates their main point. Quite often bloggers writing 'how to' or 'instructional' posts cover the theory of a topic really well but fail to give practical examples of how it works itself out in reality. I find that readers really love to see examples - so if you can give them in comments they'll often be grateful and will check out who is behind them. The examples could be to your own work - or that of others.

3. Add a Point

Did the blogger miss a point on their post? Extending the post by adding another argument or point can improve the conversation and show yourself off to be someone who knows what they're talking about. Some bloggers will even highlight your comment in an update to the post.

4. Disagree

One way to stand out from the crowd is to disagree with the post and/or what others are writing in comments. This isn't something you will want to do on every comment that you leave (and it could be something that gets you into trouble) but it can be quite refreshing

RECENT POSTS

- A Tool to Help You Analyze Your FeedBurner Feed Statistics
- What Blogging Platform Do You Use? [POLL RESULTS]
- Nip Problems in the Bud with a TOS Page
- The Mo Must Go
- How many RSS Readers does your Blog have? [POLL]
- Optimizing Blog Growth: Curing the Fears of Being an Amateur Blogger
- Zookoda - I Don't Recommend them Anymore
- WidgetBucks to Serve CPM Ads to Non North American Traffic
- Getting Your Blog Ready for Christmas
- AdSense Ad Click Zones - Gmail and Other Large Sites Get a Better Deal

Figura 4.1. Las listas facilitan a los lectores la identificación del contenido.

- **Formato:** Utilice **negritas**, MAYÚSCULAS, *cursivas*, subrayados y otras técnicas de formato para enfatizar puntos. Tampoco se pase, porque corre el riesgo de agobiar a su lector. Debe tener especial cuidado con los subrayados, porque se suelen emplear para indicar que ese texto es un enlace. Tenga también en cuenta la posibilidad de cambiar el tamaño, el color o el estilo de la fuente para atraer la mirada de sus lectores hacia los puntos principales.
- **Encabezados y títulos secundarios:** El uso de encabezados en mitad de los artículos ayuda a estructurarlos, aunque también resultan fantásticos para captar la atención de los lectores hacia la página y ayudarles a localizar los puntos importantes y los elementos del artículo que más les interesan.
- **Imágenes:** Un uso inteligente de las imágenes en su blog puede llamar la atención, enfatizar puntos y atraer gente a su artículo. En un medio basado en el texto, las imágenes proporcionan puntos de interés visual. He podido comprobar cómo reaccionan los lectores a las imágenes de los artículos, siendo particularmente más eficaces en la parte superior para hacer que la gente se ponga a leer. Vale la pena dividir el texto en artículos más largos y dirigir la mirada hacia los puntos clave.
- **Bordes/citas:** También puede atraer la atención de los lectores rodeando las citas y los puntos clave con recuadros.

- **Espacio:** No se sienta obligado a rellenar cada centímetro de su pantalla; en vez de ello, cree espacios, porque servirán para que los lectores no se sientan desbordados y, una vez más, dirigirán la mirada de sus lectores hacia lo que hay dentro de dichos espacios.
- **Párrafos cortos:** Los internautas tienden a perderse en los bloques de texto grandes; divida el texto en fragmentos más pequeños y verá cómo la gente lee los artículos más largos.
- **No esconda sus puntos:** Intente que sus puntos principales se muestren lo más claramente posible, y deje entrever el asunto principal en las primeras frases en lugar de enterrarlo en su conclusión.

Trabaje en producir un contenido que se pueda identificar fácilmente y descubrirá cómo se enganchan sus lectores, incluso a los artículos más largos del blog.

Consejo para blogueros de ProBlogger: No se complique

No hay ventaja alguna en hacer que su contenido sea más complejo, ni sus lectores le van a respetar más si utiliza palabras más largas, más bien al contrario. Recuerde que su lector podría tener poca vista, distraerse fácilmente o tener algo de prisa. Cuanto más fácil sea de leer su blog, más lectores atraerá.

Utilizar eficazmente los títulos en los blogs

Mi madre me inculcó desde pequeño la importancia de las primeras impresiones. Aparte del diseño del blog, el mejor modo de crear una buena impresión probablemente sea a través del título de sus artículos. Los artículos bien escritos son importantes por muchos motivos, entre los que se incluyen:

- **Captar la atención de los motores de búsqueda:** Vaya a Google y escriba cualquier palabra que se le ocurra; al instante encontrará millones de resultados. Lo interesante es que en la mayoría de los casos (tanto para Google como para otros motores de búsqueda), a los lectores se les muestran muy pocos elementos para decidir el resultado en el que hacen clic. Aparece un título, un breve extracto y una URL. Lo más resaltado es el título, por lo que creo que es la clave para obtener visitantes procedentes de los motores de búsqueda.
- **Captar la atención de los lectores de RSS:** De manera muy similar, los títulos tienen la capacidad de atraer a los que siguen su blog a través de los *feeds* RSS mediante agregadores de noticias. Los lectores de estos

agregadores tienden a ojear los títulos de los artículos en busca de cosas de interés, en vez de leerse los textos completos, deteniéndose para leer y visitar los artículos que despierten su interés. Véase la figura 4.2.

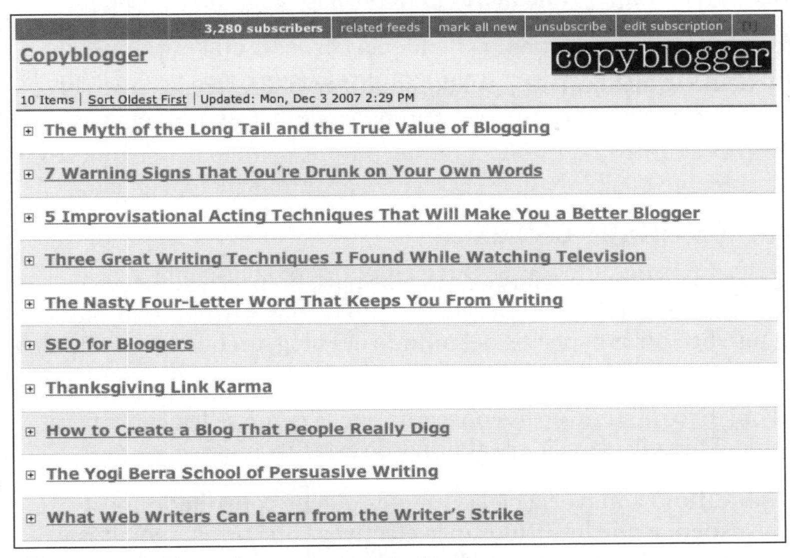

Figura 4.2. Ojeando un lector de feeds.

- **Captar la atención de los sitios de enlaces y marcadores:** El mismo principio se puede aplicar a los sitios de enlaces y marcadores como `Digg.com` y `Delicious.com`, que tienen el potencial de enviar a su sitio muchos miles de visitantes basándose únicamente en el título de su artículo.
- **Lectores fieles:** Los buenos títulos también afectan al modo en que interactúan con su blog sus lectores fieles. Como ya he mencionado, los internautas pasan rápidamente por las páginas, y una de las mejores maneras de hacer que se detengan para fijarse en algún punto de su sitio, es captar su atención con un buen título que les intrigue lo suficiente como para ralentizar su frenética navegación por la Web y leer de verdad alguno de los contenidos en los que tanto tiempo y energía ha invertido su autor.
- **Optimización para los motores de búsqueda:** Aunque hay muchos factores que influyen en el modo en que los motores de búsqueda clasifican una página de su blog, uno de los de más peso dentro de la página son las palabras que emplee en el título de dicha página. Por defecto, la mayoría de las plataformas para blogs incluyen su título en las etiquetas de título de la página de su artículo y en la composición

de la URL de la página; dos factores que contribuyen a posicionarla en los motores de búsqueda. Además, los demás blogueros suelen utilizar el título para enlazarle (algo muy potente), por lo que sus títulos se convertirán en un importante factor para posicionarle correctamente y atraer el tráfico de los motores de búsqueda.

El título de un artículo es su anuncio y puede significar la diferencia entre ser leído o no, por lo que le recomendamos que aprenda a desarrollar la capacidad de crear unos títulos magníficos.

Cómo utilizar los títulos con éxito

Los blogueros de éxito utilizan muchas estrategias para llamar la atención mediante los títulos de sus artículos. En este terreno no hay verdades absolutas; como ocurre en muchos otros aspectos del mundo del blog, un buen título es algo subjetivo.

En definitiva, el objetivo de su título es conseguir que la gente se lea la primera línea de su artículo. Para ello, considere algunas de estas técnicas:

- **Hágalo sencillo:** La mayoría de las fuentes que he consultado sobre este tema sostienen que los títulos más efectivos son cortos, sencillos y fáciles de entender. Aunque puede llamar la atención rompiendo estas reglas (consulte el siguiente punto), ello también puede resultar confuso y frustrante, dejando a sus lectores con cara de póker. Los títulos más cortos también son buenos para los motores de búsqueda; manténgalos por debajo de los 40 caracteres y tendrá la seguridad de que aparecerá en los resultados de las búsquedas de Google.
- **Llame la atención:** Los buenos títulos hacen que sus artículos destaquen entre el resto, atrayendo a los lectores hacia su artículo. Puede captar la atención empleando tácticas de shock, grandes reclamos, buscando la controversia o incluso la confusión. Aunque estas tácticas funcionan bien para que la gente acuda, también hay que decir que pueden hacer más mal que bien si el resto de su artículo no está a la altura de lo prometido. Llame la atención todo lo posible, pero sin engañar a sus lectores haciéndoles pensar que les va a proporcionar algo que no puede ofrecerles.
- **Encuentre una necesidad:** Un título eficaz hace que la gente lea más, porque les proporciona la sensación de que usted tiene algo que decir que ellos necesitan escuchar. Los índices como `del.icio.us` son una muestra de lo eficaz que es esto. Con bastante frecuencia, los artículos que llegan al principio de la lista son los del tipo "cómo hacer tal cosa" o tutoriales que muestran a los lectores cómo resolver un problema o necesidad que podrían tener.

- **Sea descriptivo:** Algunos lectores se ven atraídos hacia un artículo debido a un título críptico que no les dice demasiado sobre lo que van a leer, pero que en la mayoría de lectores genera la necesidad de saber lo que encontrarán si siguen leyendo. Los títulos deben describir lo que los lectores encontrarán en el artículo principal. No deben contarlo todo sobre el artículo, pero siempre es pertinente que sean descriptivos.
- **Utilice palabras clave:** Como mencioné anteriormente, los títulos son una potente parte de SEO. Si desea maximizar su poder debe plantearse el uso en su título de las palabras clave por las que desea que su blog sea localizado de alguna manera. Esto supone obviamente un reto cuando se intenta mantener la sencillez pero a la vez captar la atención e intrigar, aunque es factible. Se supone que las palabras del comienzo de los títulos son más potentes que las del final, en lo que a SEO se refiere.

Tómese su tiempo para escribir los títulos de los artículos. Muchos blogueros se esfuerzan mucho en escribir artículos que enganchen y sean interesantes, pero luego les ponen cualquier título anodino sin pararse a pensar si con ello están condenando a que nadie llegue a leerse el artículo.

Trate su título como un mini anuncio de su trabajo. Tómese al menos unos minutos antes de hacer clic en **Publicar**, no sólo para asegurarse de que el artículo es correcto; fíjese también en si el título hace todo lo posible para maximizar las opciones de que la gente se enganche a lo que tiene que decir. Un sitio para aprender más sobre la elaboración de títulos es `CopyBlogger.com` con abundante información sobre cómo escribir buen material para blogs.

Figura 4.3. www.copyblogger.com.

Consejo para blogueros de ProBlogger: ¡Robe ideas!

Los redactores de textos tienen una estrategia furtiva para aprender de los mejores escritores. ¡Roban sus ideas! No, no se trata de plagiarles, sino de, digamos, "inspirarse" en ellos. Siempre que se encuentre con un título, introducción o frase particularmente eficaz, anótela para inspirarse en el futuro. Chris ha publicado un archivo de este tipo llamado "102 Headline Templates" (102 plantillas para encabezados) en el área de descarga para miembros de Problogger Book:

`http://probloggerbook.com/bonus/`

Si no lo ha hecho aún, regístrese. Asegúrese de que escribe la dirección exactamente como se muestra:

`http://probloggerbook.com/?/register/bonus`

La importancia de las primeras líneas

El objetivo del título de un artículo es hacer que los lectores se lean la primera línea. No obstante, las primeras líneas son cruciales para que la gente se lea el artículo completo.

Los lectores emitirán un juicio sobre si vale la pena leerse el artículo completo en función de cómo comience, y seguirán leyendo si consigue conectar con ellos a varios niveles.

Los enlaces de entrada suelen despertar el interés y la curiosidad, potenciando una necesidad ya existente en el lector, mostrando el beneficio de seguir leyendo y/o creando algún tipo de promesa de entretener, informar, enseñar u ofrecer algo de valor.

No hace falta que haga todo esto en la frase inicial de cada artículo que escriba, pero si desea que sus lectores lleguen hasta el final de sus artículos y sean persuadidos por lo que escriba, tendrá que trabajar más para engancharlos de alguna manera.

La longitud del artículo: ¿Cuál es la adecuada?

La longitud óptima de un artículo de blog ha sido un debate candente para los blogueros durante años, y hay varios factores a tener en cuenta al pensar en ello, como los siguientes:

- **La capacidad de atención del lector:** Hay documentos que atestiguan que el típico lector de una Web tiene una capacidad de atención limitada en lo que se refiere a leer contenidos online. Mi propia investigación determina que el tiempo medio que permanece un lector en un blog es de 96 segundos. Es decir, que dispone de minuto y medio para comunicarse con sus lectores. Como consecuencia, muchos webmasters se adaptan a ello y ofrecen contenidos que se pueden leer en un momento.
- **SEO:** Hay una opinión bastante generalizada sobre los considerados expertos en optimización para motores de búsqueda de que las páginas extremadamente cortas o largas no se posicionan tan bien como las que poseen una longitud razonable. Obviamente, nadie sabe realmente cuántas palabras son las ideales a los ojos de Google y los demás motores de búsqueda, pero la opinión general parece ser que una página de 250 palabras posee una longitud adecuada. Del mismo modo, se aconseja que una página no supere nunca las 1.000 palabras.
- **Cantidad de artículos:** Hay una teoría por ahí que afirma que los artículos más cortos le permiten escribir más artículos, lo cual es recomendable para generar una audiencia con RSS y para los motores de búsqueda. Aunque personalmente no conozco su estrategia, algunos creen que esto es lo que hacen sitios como Engadget y Gizmodo con la gran cantidad de artículos cortos que componen la mayor parte de su contenido.
- **Asunto/género:** Con frecuencia, el tipo de artículo que escriba determinará su longitud. Por ejemplo, cuando escriba el análisis de un producto, normalmente escribirá un artículo más largo que cuando escriba noticias o similares en las que enlazará a lo que ha escrito otra persona.
- **Tratamiento exhaustivo del asunto:** En definitiva, éste ha de ser el principal criterio a seguir por los blogueros. Escriba lo suficiente como para tratar de manera exhaustiva el asunto y deténgase. No es inteligente generar artículos largos porque sí, así como tampoco lo es crear artículos cortos que no llegan a abarcar todo el tema.

Mi preferencia personal es diversificar la longitud de los artículos. Intento escribir un artículo largo al día para darles a los lectores algo jugoso que llevarse a la boca, pero la mayoría de los días también intercalo artículos más cortos sobre noticias.

¿Con qué frecuencia debe publicar un bloguero?

Uno de los consejos que doy habitualmente a los nuevos blogueros es que escriban con frecuencia. Es un buen consejo, pero desde mi experiencia no es tan sencillo como parece.

Creo que publicar con frecuencia es una cuestión que los blogueros deben considerar detenidamente, desde varios puntos de vista:

- **El desgaste del escritor:** Cada año hago un "blogathon" de 24 horas para recaudar fondos con fines benéficos. Aunque disfruto mucho del proceso, observo que me suele producir bastante desgaste; tanto físicamente como en mi capacidad para escribir. Se trata de un ejemplo extremo, pero es algo que se da cuando la frecuencia de publicación es demasiado elevada durante un periodo prolongado. Obtener un ritmo constante para conseguir un contenido relevante tiene su repercusión en el bloguero. Publicar con demasiada frecuencia puede tener una incidencia negativa en la calidad de lo escrito.
- **El desgaste del lector:** Demasiados artículos también pueden cansar a su audiencia. Recientemente pregunté a los lectores de ProBlogger los motivos por los que dejaban de suscribirse a los blogs, y "demasiados artículos" estaba entre las razones más votadas. Desde mi experiencia personal, puedo afirmar que si mi agregador de noticias me indica que hay más de 20 artículos no leídos de un mismo blog, es poco probable que me lea cada uno de ellos y que acabe borrándome de la lista de suscripción si no puedo mantener el ritmo.
- **La participación del lector:** Si publica con demasiada frecuencia, tampoco le dejará espacio suficiente a sus lectores para dar lugar a buenas conversaciones en los comentarios de sus artículos. Cada vez que publique, colocará los artículos más recientes al principio de la página principal, reduciendo la probabilidad de que los lectores lean y respondan al resto. Además, hay un límite en el número de conversaciones que los lectores pueden tener a la vez. Si publica demasiadas veces al día, se sentirán desbordados y dejarán de intentar participar.
- **Motores de búsqueda y referencias a RSS:** Una de las razones a tener en cuenta para incrementar la frecuencia de publicación es que cuanto mayor sea la cantidad de contenidos de calidad que genere, más puertas se le abrirán a su blog desde los motores de búsqueda y los *feed* RSS. Aunque corre el riesgo de frustrar a sus lectores por la cantidad de artículos, ello suele conducir a un mayor tráfico.
- **La temática del blog:** Soy un firme creyente de que no hay una "talla única" para la frecuencia de publicación en blogs. Una de las principales razones es que las diferentes temáticas suelen derivar en distintos estilos de bloguero. Por ejemplo, un blog como Engadget trata materias muy diversas (dispositivos y electrónica de consumo). Esta temática abarca una enorme cantidad de subcategorías y para estar a la altura necesita publicar un gran número de artículos (20 al día, o más). Su audiencia lo

sabe e imagino que gran parte de ella es consciente, puesto que intenta estar al día de una industria enorme. Con bastante frecuencia, los amantes de los dispositivos son adictos a la información duchos en el área tecnológica y capaces de consumir grandes cantidades de datos. Otros blogs de ámbito más reducido no poseen la capacidad de mantener un ritmo de publicación tan elevado porque no hay tanto sobre lo que escribir a diario.

- **El tipo de visitante:** Ya he hablado un poco sobre esto, cuando he dicho que los fanáticos de los dispositivos suelen ser adictos a la información, pero otro modo en el que el tipo de visitante puede repercutir en la frecuencia de publicación es el origen del visitante. Por ejemplo, en `ProBlogger.net` tengo muchos más lectores procedentes de suscripciones RSS y marcadores que en mi blog sobre cámaras digitales, que recibe muchas más visitas desde los motores de búsqueda y mi lista de correo. Como consecuencia, no es tan crucial que reduzca el ritmo de publicación en mi blog de fotografía, porque ello no tendrá impacto en mucha gente. De hecho, puede ser interesante que genere más artículos porque así tendré más puntos de acceso desde los motores de búsqueda.
- **La longitud del artículo:** Otra observación que hace mucha gente sobre algunos de los blogs más visitados es que aunque publican con mucha más frecuencia que otros blogs, sus artículos son más cortos, con lo que el alto número de artículos diarios resulta menos molesto.
- **Dinamismo:** Demasiadas publicaciones pueden producir desgaste en sus lectores, pero no publicar lo suficiente puede ser igual de frustrante. Si los lectores se suscriben a su *feed* RSS, su lista de correo o le agregan a sus favoritos, le están invitando activamente a comunicarse con ellos. Si no lo hace, puede resultar bastante molesto. En los días entre semana, escribo en mis blogs como mínimo una vez al día. Otros blogueros adoptan un ritmo semanal y descubren que les funciona, pero a mí me gusta producir a diario, lo que genera una anticipación y un dinamismo con los lectores que contribuye al crecimiento del blog.
- **Ritmo y consistencia:** En lo referente a la frecuencia de publicación, es importante que descubra cuál es su ritmo propio y que se mantenga fiel. Aunque los lectores no quieren que sea monótono en lo que escribe, he descubierto que sí buscan cierta frecuencia en cómo escribe y, en concreto, en la frecuencia con la que escribe. La gente quiere saber qué puede esperar; se implican en cosas que se adaptan a su propio ritmo de vida, por lo que si comienza a escribir a diario pero luego cambia la frecuencia y lo hace cada hora, probablemente descubra que la gente reacciona en su contra (y lo mismo ocurre en el sentido contrario).

La frecuencia de publicación varía de blog a blog, por lo que debería experimentar con los distintos modos de hacerlo conforme su blog vaya creciendo. Si acaba de empezar, intente publicar en su blog cuatro o cinco veces a la semana mientras encuentra su propio ritmo; con el tiempo encontrará una frecuencia que se adapta a sus lectores.

Ejercicio

Dedique un momento a ponerse en la piel del lector. ¿Con qué frecuencia le gustaría que se actualizasen los blogs que más visita? ¿Visita todos los blogs a diario? ¿Se ha encontrado alguna vez con un blog en el que le gustaría que publicaran con más frecuencia? ¿O con menos frecuencia?

Mantenga la estructura del blog

Un asunto por artículo; aunque ya hemos hablado en este libro sobre la elección de la temática del nicho para el blog, hay otra estrategia adoptada por muchos blogs de éxito que consiste en, además de estar orientados a un nicho genérico, intentar que cada artículo se centre en un asunto más específico.

A algunos niveles se trata de algo natural y lógico y que aplican la mayoría de los blogueros, pero en ocasiones me encuentro con algún artículo de blog que parece responder a todas y cada una de las preguntas de la humanidad en un único artículo. El resultado puede ser un artículo largo, descentrado y sin dilación que no va a ninguna parte.

Evite la necesidad de meterlo todo en un solo post. Con frecuencia funciona mejor una estrategia consistente en crear artículos más específicos, dividiendo la temática tratada en pequeñas partes. La idea es que su blog acabe teniendo la estructura que se muestra en la figura 4.4.

Estas categorías son importantes por muchas razones, entre las que se incluyen:

- **La temática del nicho:** En conjunto, su blog tiene un nicho temático, un punto que ya hemos tratado anteriormente.
- **Categorías:** Dentro del nicho, hay categorías que dividen el tema global en partes más pequeñas (por ejemplo, en `ProBlogger.net` tengo categorías para el diseño del blog, la generación de contenidos y las herramientas para blogs).
- **Legibilidad:** Algunos de sus lectores no estarán interesados en la totalidad del nicho para el que escribe, sino que preferirán centrarse en una parte de este (una o dos de sus categorías). Las páginas de categorías

se convierten, de hecho, en mini blogs dentro del blog completo, lo que puede ayudar a los lectores a localizar y seguir los elementos del asunto en el que están interesados.

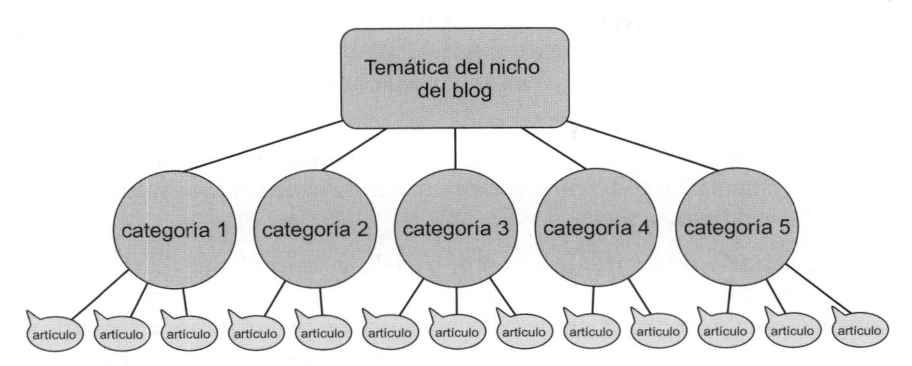

Figura 4.4. Un blog estructurado.

- **SEO:** A los motores de búsqueda les gusta la información que se encuentra agrupada y enlazada a otra información similar. Ésta es una de las razones por la que los blogs de nicho se llevan bien con los motores de búsqueda. Las categorías también son de ayuda, pues las páginas de categoría también se posicionan bien. Asímismo sirven para que los robots de los motores de búsqueda que visitan su sitio lo hagan con más facilidad y puedan indexarlo con más facilidad.
- **Artículos:** Sus categorías se dividen a su vez en artículos.

Cada artículo no abarcará la categoría completa (a menos que sus categorías sean muy pequeñas), pero tratarán un elemento de esta. Ajustar los artículos a los distintos elementos de su categoría le ayudará a abarcar la temática global de su nicho.

Esta estructura es bastante similar a la de un libro, que posee un tema global, dividido en capítulos que a su vez se dividen en secciones.

Beneficios de estructurar el blog

Escribir con este enfoque reporta muchos beneficios:

- **Facilidad de uso:** Ya hemos hablado varias veces en este libro de cómo la gente no permanece mucho tiempo en sitios Web y de que la capacidad de atención lectores de los blogs es escasa. Hacer los artículos más específicos minimiza este problema, siempre que sean más cortos y vayan directos al asunto.

- **SEO:** Las páginas que tratan un único asunto resultan más cómodas para los motores de búsqueda, porque pueden saber de qué tratan con más facilidad. Esto le sirve para posicionarse mejor dentro del tema tratado.
- **Publicidad contextual:** De igual modo, al tratar un solo asunto, para los sistemas de publicidad contextual como AdSense es más fácil determinar sobre qué está escribiendo y por tanto servir anuncios relevantes para dicho asunto.
- **Facilidad de redacción:** Esto es más bien una reflexión personal, pero encuentro más fácil concentrarme en un asunto cada vez. Soy mucho más productivo de esta manera.
- **Especializado no equivale a corto:** Una de las críticas que he visto sobre este enfoque es que alguna gente prefiere los artículos largos. Me gustaría decir que los artículos especializados no tienen por qué ser cortos en absoluto. Algunos de mis artículos más populares están totalmente centrados en un único asunto, sin dejar por ello de ser bastante largos.
- **Utilizar una serie de artículos:** Una opción para los blogueros a los que les resulta difícil escribir así es dividir los artículos largos y genéricos en una serie de artículos. De hecho, con bastante frecuencia comienzo a escribir un artículo sobre una materia y descubro que va a extenderse y diversificarse demasiado como para leerlo de una sola vez. Veremos cómo escribir una serie de artículos especializados más adelante en este capítulo.

Consejo para blogueros de ProBlogger: Hágalo sencillo

La especialización es sólo una de las maneras en las que mantener la sencillez de su blog puede beneficiarle, y también a sus lectores. ¡Hay tantos blogueros complicando innecesariamente las cosas, cuando un enfoque fácil y sencillo puede ser igual de eficaz, aparte de reducir su nivel de estrés!

20 tipos de artículos de blog

Una de las trampas en las que caen algunos blogueros es que con frecuencia sus blogs se vuelven unidimensionales, en lo referente a cómo están escritos sus blogs.

Mezclar los tipos de artículo que escribe puede añadir variedad y personalidad a su blog, lo que contribuirá a que conserve sus lectores a largo plazo.

Hay muchos tipos de artículos que podría utilizar; aquí le mostramos 20 con los que empezar a experimentar:

- **Instructivos:** Los artículos instructivos le indican a la gente cómo hacer algo. He observado que los artículos que contienen consejos o que son tutoriales suelen ser los que se encuentran entre los más populares. Una de las cosas que más busca la gente en Internet es ayuda para resolver un problema que les supera. Sea usted el que proporciona la respuesta a estos problemas, y conseguirá una buena fuente de tráfico a largo plazo.
- **Informativos:** Éste es uno de los tipos de artículo de blog más típico, en el que el bloguero simplemente ofrece información sobre un asunto. Podría ser un artículo descriptivo o una explicación más larga sobre algún aspecto del nicho para el que escribe. Es la clave de sitios de éxito como la Wikipedia.
- **De comentario:** Otros de los términos más buscados en la Web son análisis, revisión, crítica, comentario, informe (todos ellos posibles traducciones del vocablo inglés *review*). Cada vez que pienso en comprarme un nuevo producto, acudo a Google y busco primero un comentario. Sé que no soy el único. Hay análisis de todas las formas y tamaños sobre prácticamente cualquier producto o servicio que pueda imaginar. Ofrezca su imparcial y reveladora opinión y pregunte a sus lectores por la suya; este tipo de artículos tienen un enorme potencial y una gran longevidad.
- **Listas:** Una de las maneras más sencillas de escribir un artículo es crear una lista. Los artículos con contenido como "Las diez mejores maneras de...", "7 razones por las que...", o "Los 53 errores que cometen los blogueros cuando..." no sólo son fáciles de escribir; también suelen ser muy populares y entre los lectores y pueden recibir muchos enlaces de otros blogueros.
- **Entrevistas:** A veces, cuando se quede sin cosas interesantes que contar, podría ser buena idea dejar que alguien más expresara su opinión en forma de entrevista. Es un estupendo modo de no sólo darles a sus lectores la relevante opinión de un experto, sino de incluso aprender algo más de la materia sobre la que escribe. Cuando aborde a gente para una entrevista, le aconsejo que no los agobie a preguntas. Es más probable que le conduzcan a una respuesta una o dos buenas preguntas que una larga lista de otras poco maduradas.
- **Estudio de casos:** Otro tipo de artículo es el estudio de casos, en el que les da a los lectores una explicación de algo sobre lo que está escribiendo. Estos artículos son útiles para los lectores, porque se trata de situaciones de la vida real que con frecuencia incluyen algún consejo práctico.
- **Perfiles:** Los artículos de perfiles son similares a los estudios de casos, pero se centran en una persona en particular. Escoja un personaje interesante de su nicho e investigue un poco sobre él para presentárselo

a sus lectores. Exponga cómo ha alcanzado la posición en la que está y escriba sobre las características que posee que a otros de su nicho les podría apetecer desarrollar.

- **Artículos de enlaces:** Los artículos de enlaces son uno de los formatos preferidos por muchos blogueros, porque su creación sólo es cuestión de localizar un artículo de calidad en otro sitio o blog al que enlazar. Por lo general se suele incluir una explicación de por qué se le enlaza, un comentario de su propia visión del asunto y opcionalmente una cita del artículo. Al añadir sus propios comentarios hará que estos artículos resulten más originales y útiles a sus lectores. Cuanto más original sea el contenido, mejor, pero no tema redundar en lo que dicen otros. Estos artículos de enlaces tienen un gran potencial, pues no sólo les proporcionan a sus lectores algo bueno que leer, sino que le pueden ayudar a darse a conocer y establecer relaciones con otros blogueros.
- **Artículos sobre problemas:** Otro término que se busca con frecuencia en Google junto a los nombres de los productos es la palabra "problema"; es decir, se trata de gente que busca ayuda sobre un problema que podría tener con algo que poseen o que intentan hacer. Estos artículos son similares a los artículos de comentario, pero se centran más en los aspectos negativos de un producto o servicio. No escriba estos artículos porque sí; es preferible que halle un problema con el que se haya encontrado realmente.
- **Artículos comparativos:** La vida está llena de situaciones que requieren que decida entre dos o más opciones. Escriba un artículo contrastando dos productos, servicios o técnicas que destaque los aspectos positivos y negativos de cada opción. En cierto sentido se trata de artículos de comentario, pero con unas miras algo más amplias. He observado que funcionan muy bien en algunos de mis blogs de productos en los que la gente busca precisamente por "el producto X comparado al producto Y" o "X frente a Y" en los motores de búsqueda.
- **Sermones:** Desate sus pasiones, déjese llevar y diga lo que tiene en mente. Los sermones son estupendos para iniciar debates y provocar controversia; también pueden ser bastante divertidos si los aborda con el espíritu adecuado. Sólo debe tener presente que cuando se escribe apasionadamente sobre un tema controvertido, lo normal es que otros realicen comentarios en el mismo tono. Estos artículos derivan en hilos de comentarios en los que la gente dice cosas en caliente de las que luego se arrepiente, lo cual puede repercutir en su reputación. Vaya con cuidado.
- **Inspiradores:** En el lado opuesto a los sermones coléricos (bueno, no todos tienen por qué ser coléricos) tenemos los artículos inspiradores y motivacionales, que cuentan una historia de éxito u ofrecen una imagen

de "lo que podría ser". A la gente le gusta escuchar historias positivas sobre su nicho porque les motiva a continuar con lo que están haciendo. Busque ejemplos de éxito en su propia experiencia o en la de otros, y corra la voz.

- **Investigación:** En los primeros días de ProBlogger, escribí unos cuantos artículos de investigación en los que recabé opiniones o generé estadísticas sobre distintos aspectos del mundo de los blogs. Los artículos de investigación pueden llevar un montón de tiempo, pero también puede que valgan la pena si al final saca conclusiones interesantes. Presente sus averiguaciones junto a un bonito diagrama con estadísticas útiles y verá como con frecuencia es enlazado por otros blogueros de su nicho.
- **Artículos de colación:** Se trata de una extraña combinación de artículo de investigación y de enlaces. En ellos escoge un asunto que cree que puede resultar útil a sus lectores e investiga lo que otros han dicho al respecto. Cuando haya recopilado sus ideas (con frecuencia empleando citas cortas), conéctelas entre sí aderezándolas con algunos comentarios propios para exponer los temas comunes que observe. Aunque estos artículos suelen ser bastante interesantes para los lectores, también le pueden servir para relacionarse con algunos de los blogs a los que enlaza o que le enlazan.
- **Artículos de predicción y repaso:** Son muy habituales al final y al comienzo del año, cuando la gente hace un repaso del año que acaba y predice lo que va a ocurrir en su nicho en los meses venideros. Los artículos de predicción derivan con frecuencia en interesantes debates.
- **Artículos de crítica:** Hay varios blogueros que se han creado un nombre escribiendo duras críticas sobre otras personas, productos o empresas. Aunque a veces rozan el ataque directo y poseen características de tipo sermón, una buena crítica constructiva puede ser un modo efectivo de crear una impresión sobre otros. A la gente le gusta escuchar opiniones, y aunque puede que no siempre coincidan, si son reveladoras, constructivas y respetuosas, pueden que incrementen su reputación en un nicho.
- **Debate:** En la universidad me solían gustar los buenos debates, disfrutaba bastante preparando ejemplos a favor o en contra de algo. Los debates funcionan bien en los blogs y se pueden llevar de manera organizada entre dos personas, entre el bloguero y el resto del mundo, o incluso entre el bloguero y... él mismo (pruébelo; discuta a favor y en contra de un asunto en un artículo. Acabará escribiendo un artículo bastante equilibrado). El modo más fácil de hacerlo probablemente sea haciendo a sus lectores una pregunta con dos o más alternativas para ver qué tienen que decir. Comparta su opinión para iniciar un poco el debate.

- **Artículos hipotéticos:** Los artículos del tipo "qué pasaría si..." o hipotéticos pueden ser bastante divertidos. Escoja algo que podría ocurrir en su sector y empiece a desgranar las implicaciones que conllevaría. "¿Qué pasaría si se fusionaran Yahoo y Google?" "¿Y si Canon lanzara una actualización para su cámara xyz?". Estos artículos pueden posicionarle realmente bien en los motores de búsqueda si la hipotética situación llega a darse realmente.
- **Artículos satíricos:** Una sátira, parodia o pieza humorística bien escrita puede tener un poder increíble, además de ser estupenda para conseguir que enlacen su blog. Tenga presente que a veces estos tipos de artículo se malinterpretan y provocan reacciones airadas.
- **Memes y proyectos:** Un meme es una idea que se difunde, una "idea vírica", como la describiría Seth Godin. En el mundo de los blogs esto se puede concebir como un artículo o tema que es copiado de un blog a otro, por lo general con un enlace hacia quien lo originó. Escriba un post que implique de alguna manera a sus lectores y consiga que lo repliquen de algún modo. Inicie una encuesta, un premio, una competición, o pida a sus lectores que envíen un artículo/enlace, o desafíeles con un acertijo. Este tipo de artículos añade un elemento de interactividad a su blog y a veces puede convertirlo en un fenómeno viral en la blogosfera.

Esta lista no es exhaustiva, pero son muchos de los tipos de artículos que podría emplear en la mezcla de su blog.

No todos serán apropiados para todos los blogs o blogueros, pero utilizar más de un formato puede agregar definitivamente un poco de color o sabor a su blog.

Ejercicio

La siguiente vez que lea un artículo, pruebe a identificar en qué categoría de nuestra lista encajaría. ¿Cómo le ha añadido el autor su toque personal? ¿Puede sacar alguna idea de ello?

10 pasos para escribir con éxito una serie de artículos

Uno de los modos eficaces de darle dinamismo a un blog es escribir una serie de artículos que se basen los unos en los otros y explorar un tema a lo largo de varios días. Escribir una serie les dará a sus lectores un motivo para regresar a su blog pasado un tiempo, pero también le permitirá como bloguero crear varios artículos pequeños sobre un tema largo, facilitándole el proceso de redacción sin dejar de cubrir la materia exhaustivamente.

Aunque escribir una serie puede parecer una tarea inabarcable al principio, no tiene por qué ser así. Éste es el método de trabajo que empleo para crear una:

1. **Identificar el tema:** Es fundamental para desarrollar una serie de éxito (como ocurre con los artículos individuales). Como reflejan la mayoría de las series de artículos que he publicado en `ProBlogger.net` a lo largo del pasado año, es interesante observar que en casi todos los casos las series surgieron en mi mente como un único artículo, que creció hasta convertirse en algo más grande. La clave es asegurarse de que escoge un asunto que es lo bastante largo como para garantizarle varios artículos (no es recomendable escribir una serie por el mero hecho de hacerlo), pero lo bastante manejable como para que no le desborde. Algunos temas son tan extensos que casi se les podría dedicar un blog en exclusiva.
2. **Escriba una lista:** Cuando tomo la decisión de que un tema es lo bastante grande como para una serie, comienzo con una sesión en la que anoto todas las ideas que se me ocurren y reúno en una lista los puntos principales que quiero tratar. Estas listas generalmente empiezan como listas de palabras clave y frases escritas en un documento de texto o cuaderno. Cuando ya tengo una lista con los puntos principales, añado algunas frases descriptivas a cada una para describir lo que quiero decir. Es fascinante como muchas de estas frases se convierten al final en artículos. Me doy cuenta de que cuando llevo unas cuantas todo fluye, pudiendo acabar con una lista de 10 o más ideas bastante rápido. La lista raramente es la lista final de puntos que acabo publicando (algunos desaparecen y agrego otros), pero sí que forman la base de mi serie, en la que cada punto suele acabar con un artículo propio; recuerde que buscamos artículos especializados, concretos.
3. **Defina objetivos:** En este punto me fijo algunos objetivos para la serie y establezco sus límites. Mirando la lista, por lo general puedo saber cuántos artículos necesito completar, lo que a su vez me ayuda a decidir cuánto durará. Normalmente la extiendo durante un periodo de una semana (empezando en lunes y acabando en viernes), pero también las he desarrollado en periodos de tiempo más cortos y más largos.
4. **Cree borradores:** Una vez fijados estos detalles, cojo la lista que he creado y todo lo que haya escrito para cada artículo hasta ahora (con frecuencia sólo unas pocas palabras clave y una frase o dos), lo copio y lo pego en algunos artículos borrador de mi blog. Les asigno a cada uno un título provisional (que probablemente cambie después) y los dejo así, como referencia para poder trabajar sobre ellos los siguientes días.
5. **Escoja un título para la serie:** El nombre que le asigne a su serie es un factor muy importante para su éxito, y le recomiendo que lo sopese tranquilamente. El título de su serie es un anuncio para los lectores

que los atraerá hacia esta. Los lectores deciden en base a sus primeras impresiones si leerán un artículo y harán lo mismo con las series. Si no atrapa su imaginación con el primer artículo de su serie, es poco probable que lean los siguientes. El modo de escoger el título para una serie es muy similar al proceso de escoger uno para los artículos individuales, que con frecuencia es una combinación de algo pegadizo que incluya algunas buenas palabras clave (de cara al posicionamiento).

6. **Anuncie las series:** Llegados a este punto todo mi trabajo se desarrolla en privado, pero ahora me concentro en anunciar la serie con un artículo introductorio. Esto sirve para varios fines, incluyendo el poner en conocimiento de los lectores lo que pueden esperar, lo cual genera cierta expectación y por otra parte me compromete a acabar lo que he empezado. No hay nada como decirle a los lectores que va a escribir un número X de artículos sobre un tema para mantenerlos motivados e implicados en la tarea. Anime a los lectores a suscribirse a su *feed* en este momento para que puedan seguir su artículo.
7. **Escriba una introducción a la serie:** El post de anuncio también incluirá una introducción al asunto, indicando el camino que seguirá los próximos días (es aconsejable que cite los asuntos que va a tratar exactamente). Lo otro que hará este artículo será destacar la "necesidad" que la serie pretende cubrir. Creo firmemente en que las series de artículos de más éxito que he escrito se han hecho populares debido a que satisfacen algún tipo de necesidad que tiene la gente, de modo que es importante que deje claro a sus lectores por qué deben visitar su blog en los próximos días.
8. **Escriba un artículo al día:** Mi método de trabajo consiste en escribir artículos diariamente. Algunos blogueros prefieren escribirlos todos por adelantado, pero yo prefiero mantenerme fresco, no sólo para basarme en lo que haya escrito el día anterior, sino en los comentarios de los lectores que han recibido estos artículos. También he observado que escribir un montón de artículos a la vez puede saturar un poco; yo me administro mejor si los divido en partes más pequeñas.
9. **Enlace sus artículos entre sí:** He observado que hay un montón de blogueros que llegan a escribir series de artículos pero que no unen sus artículos con enlaces. Aunque sus lectores habituales serán capaces de seguir su artículo accediendo cada día o leyéndolos mediante RSS, puede que los futuros lectores de su blog no tengan tanta suerte. Con frecuencia llegan a través de los motores de búsqueda hasta un artículo intermedio de las series, de modo que si no ha enlazado al resto, tendrán que ponerse a buscarlo. Puede interconectar fácilmente sus blogs enlazando la introducción en el comienzo y el final de cada artículo (indicándoles a los

lectores que allí encontrarán la serie completa). Otra opción sería incluir en cada artículo un enlace a los artículos anterior y posterior de la serie, creando una especie de cadena.

10. **Termine correctamente sus series:** Aunque puede sonar un poco obvio, creo que es importante hacer esto bien. Si la serie no tiene un final definido, puede fracasar al llegar al final, dejando a algunos lectores con la sensación de que les han dejado colgados. Resuma la serie y los puntos principales e invite a sus lectores a añadir sus propios puntos, compartiendo lo que ellos crean que se ha dejado atrás.

Aprender el arte de crear buenas series es algo que puede aportarle mucha vida a su blog. Pruebe a hacerlo al menos una vez al mes, verá como por lo general sus lectores responden muy bien a ello. Funciona particularmente bien si su blog tiene una orientación educativa, práctica y está conectado con una necesidad real de sus lectores.

Entre mis series más eficaces de ProBlogger se incluyen las siguientes:

- Blogs para principiantes.
- Cómo crear un blog mejor en 31 días.
- Cómo combatir a los blogueros.
- Cómo redescubrir su estilo como bloguero en 7 días.

En todos los casos las series fueron muy prácticas, ajustándose a las necesidades de mi audiencia de destino, los blogueros.

Ejercicio

Anote todos los posibles temas para las series de su blog que se le ocurran. ¿Sobre qué áreas temáticas puede escribir de manera consistente durante varios días? Coja ahora las áreas más prometedoras y bosqueje los contenidos en una lista de puntos. Ante de embarcarse en cualquier serie, le recomiendo que se haga de un mapa de ruta con los puntos clave a cubrir.

Crear un blog interactivo potenciando los comentarios

La belleza de escribir en blogs reside en que son conversacionales por naturaleza. Como bloguero debe iniciar la conversación, de manera que otros respondan escribiendo comentarios en su blog o desde sus propios artículos. Trabaje en ello y escriba de manera que invite a terceros a participar, añadiendo dinamismo a su blog. Vamos a ver unos cuantos trucos para conseguir más comentarios para su blog:

- **Invite a la gente a participar:** Suena demasiado fácil para ser cierto, pero es más probable que la gente comente si les invita a ello. Pruebe a hacerlo, ya verá cómo se animan.
- **Haga preguntas:** Al incluir preguntas específicas en los artículos aumentará sin duda el número de comentarios, en particular cuando la pregunta se hace en el título del artículo.
- **Deje abierta la puerta:** Si dice todo lo que tiene que decir en sobre un tema, es menos probable que otros contribuyan con sus opiniones, pues poco les quedará ya que aportar.
- **Interactúe con los comentarios:** Si no tiene intención de utilizar su propia sección de comentarios, ¿por qué iban a hacerlo sus lectores? Si alguien deja un comentario, interactúe con él. Al hacerlo, mostrará a sus lectores que sus comentarios son tenidos en cuenta y los acostumbrará a la interactividad, dando a los lectores la impresión de que su sección de comentarios es un sitio activo, valorado tanto por usted como por sus lectores.
- **Sea humilde:** He observado que los lectores responden muy bien a los artículos que muestran sus propias debilidades, fallos y huecos en su conocimiento, frente a aquellos artículos en los que habla como si lo supiera todo sobre la materia.
- **Sea controvertido:** No hay nada como un poco de controversia para que la gente se ponga a comentar en su blog. Obviamente, ello conlleva el riesgo potencial de recibir ataques, por lo que debe aplicarla con cuidado.
- **Sea agradecido con los comentarios:** Premie los buenos comentarios resaltándolos en su blog. Captar la atención de los lectores que hacen un buen uso de los comentarios les fideliza, pero a la vez llamará la atención de otros lectores para que hagan lo mismo.
- **Establezca sus límites:** En ocasiones, la sección de comentarios de un blog deriva en algo similar a una trifulca. Fije claramente los límites de lo que es aceptable en un comentario y lo que no. Puede que incluso fuera pertinente publicar algo referido a la política sobre comentarios. Al fin y al cabo, se trata de su blog y las reglas las decide usted. Esto ayudará a sus lectores a saber cuáles son sus límites y le servirá para moderar los comentarios.
- **Dé forma a un estilo propio:** Cada vez soy más consciente de que los blogueros son los que fijan el tono y el estilo de sus blogs. Es importante reseñar que los lectores suelen seguir al autor en lo referente al tono

utilizado en sus comentarios. Si escribe artículos con un estilo cercano al ataque personal, no dude en que lo verá reflejado en su sección de comentarios. Si da forma a un estilo más amigable e integrador, la mayoría de sus lectores seguirá la misma tónica.

No se desanime mucho si la gente no escribe comentarios en su blog con demasiada frecuencia. Incluso en los blogs populares, los comentarios suponen sólo a un uno por ciento de sus lecturas. No abandone las técnicas anteriores y conseguirá no sólo que el tráfico de su blog aumente; también enganchará realmente a la gente y desarrollará una cultura de comunidad.

Ejercicio

Tome nota de los blogs que frecuenta que han conseguido crear una sensación de comunidad activa y de aquellos que apenas reciben comentarios. ¿Puede ver algo en común entre ellos? ¿Cómo hacen los blogueros para atraerle?

RESUMEN

No hay duda alguna: Los blogs se basan en el contenido. Sin un magnífico contenido no atraerá a una audiencia y jamás alcanzará sus objetivos como bloguero.

La materia sobre la que escribe es sólo el principio; necesita grandes titulares, un formato y un tipo apropiado de artículo para el tema tratado, de manera que conduzca a sus lectores a la comunidad que está construyendo, manteniéndolos enganchados. Afortunadamente, después de leer este capítulo tendrá las ideas mucho más claras sobre cómo hacer que esto sea así en su blog.

5. Ingresos del blog y estrategias para obtener beneficios

No hay un único modo correcto o incorrecto de ganar más dinero con los blogs. Si compara el método que utiliza Darren con el mío, verá que existe bastante diferencia. Si extiende la comparación a más gente, le costará encontrar dos blogueros que hagan dinero de idéntico modo. ¡Eso es bueno!

Cualquier bloguero tiene la oportunidad de obtener beneficios y de hacerlo de una manera que le venga bien. Cada blog y cada bloguero son diferentes. Las oportunidades varían dependiendo de sus propias capacidades, las oportunidades que presenta cada nicho e incluso su propia audiencia específica.

Aunque no todos los blogueros alcanzarán los enormes ingresos de algunos, hay muchos a los que les va bastante bien siguiendo las tácticas que describimos en este capítulo.

¿ES EL MOMENTO DE HACER DINERO?

La primera decisión que tiene que tomar es obviamente si desea intentar obtener beneficios. Existen muchos blogueros que prescinden de cualquier tipo de comercialización de los blogs y también hay quien lo ha probado y no le gusta.

Vamos a suponer que desea hacer dinero con su blog. Entonces, las dos preguntas serán:

- ¿Cuándo?

  y

- ¿Cómo?

Cuándo monetizar es una pregunta que no tiene una respuesta correcta. Pregunte un poco por ahí; recibirá muchas respuestas sinceras, pero ninguna le servirá de mucho. Hay dos campos de opinión dominantes en este asunto y ambos tienen su parte de razón:

- **Incluya anuncios desde el primer día:** La idea aquí es que si está pensando en poner anuncios algún día, también existe la opción de integrarlos desde el principio. Entre las razones por las que podría hacerlo están las siguientes:
  - **Las expectativas del lector:** Iniciar un blog sin anuncios y añadirlos después significa correr el riesgo de desilusionar a los lectores, que esperaban tener un blog libre de anuncios, ahora y siempre. Algunos lectores están muy posicionados al respecto y un cambio de este tipo a medio plazo puede causar problemas. Empiece con anuncios desde el principio y deje claras las expectativas para no disgustar a nadie más adelante.
  - **Diseño consistente:** Incluir publicidad desde el comienzo de su blog mantiene la consistencia global, lo que es bueno para que el lector se sienta cómodo y desde el punto de vista de la creación de marca. También significa que se evitará la molestia o el gasto de rehacer el diseño más adelante para hacer sitio a los anuncios.
  - **Beneficios:** El blog de Darren estuvo libre de anuncios durante meses, hasta que implementó Ad-Sense; más adelante se lamentó de su retraso, al ver lo que podía haber ganado. Ponga anuncios en su blog desde el principio y comenzará a ver algo de dinero desde los primeros días. Obviamente, es probable que no obtenga demasiado, pero podría llevarse una agradable sorpresa.
  - **Optimización de anuncios:** Aprender cómo gestionar los anuncios lleva su tiempo. La mayoría de nosotros aprendemos mejor a través de nuestra experiencia personal que simplemente leyendo sobre el tema. Lo estupendo de empezar pronto con la publicidad es que puede experimentar y probar con diferentes técnicas sin que demasiada gente vea los errores que comete por el camino. Esto significa que para cuando el tráfico comience a llegar, ya habrá optimizado sus anuncios y les estará sacando partido.
- **Hágase de lectores habituales y ponga después los anuncios:** Frente a poner la publicidad desde el principio, dejarlo para cuando se haya granjeado una audiencia es igualmente válido. Este argumento defiende básicamente que, si coloca anuncios en su blog demasiado pronto, potencialmente podría perder lectores porque parecería demasiado comercial o se notaría demasiado que busca dinero.

La idea es que puede añadir anuncios gradualmente más adelante, cuando haya enganchado a un cierto número de lectores de confianza y haya incluido montones de enlaces de calidad que le sirvan para potenciar su visibilidad en los motores de búsquedas.

Como comenté anteriormente, Darren empezó de esta manera y su blog más reciente, Digital Photography School (`http://digital-photography-school.com/blog/`; véase la figura 5.1), en sus comienzos sólo se intentó monetizar ligeramente, lo que estoy seguro que contribuyó a hacerse con su enorme audiencia. Yo he utilizado personalmente ambos métodos, como explicaré más adelante.

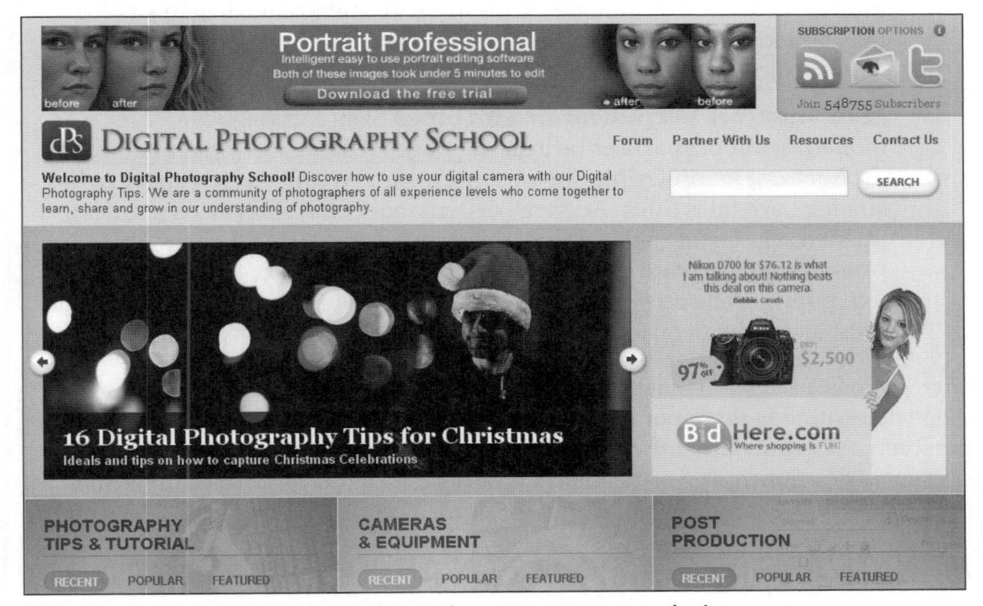

Figura 5.1. Darren inició su blog más reciente con un bajo nivel de monetización.

En definitiva, la decisión de añadir anuncios a un blog es algo personal y no hay ningún sistema que funcione para todo el mundo.

Factores a tener en cuenta

¿Cómo saber si debe seguir sin anuncios o si debe insertarlos justo ahora? Al decidir qué método utilizar, tenga en cuenta lo siguiente:

- **¿Hasta qué punto es comercial su nicho?** Yo tenía un blog de fotografía dedicado en exclusiva a un tipo de cámara llamada DLSR, de ahí que lo llamara DLSRBlog. La gente que me seguía estaba muy interesada en el equipo y por tanto no sólo toleraba los anuncios, sino que prácticamente los apoyaban, de manera que desde el principio inserté anuncios y enlaces de afiliados en los análisis. Otros nichos pueden ser muy anti-consumistas, por lo que se les deberá dar un toque más ligero.

- **¿Vale la pena?** Puede que descubra que el único anuncio que puede mostrar desde el principio interesa poco y se paga muy mal. Si sólo obtiene uno o dos clics al día y una cantidad ridícula por clic, puede que estime que no tiene mucho sentido añadir anuncios hasta que posea una audiencia y un contenido que le permita sacarle más partido. En la mayoría de los casos puede utilizar sus espacios publicitarios para mostrar anuncios de afiliados o anuncios de amigos que hagan su blog más atractivo a los anunciantes de pago, pero vale la pena que lo tenga en cuenta como parte de su decisión.
- **¿Los anuncios perjudicarán a mi blog?** Si su estrategia de monetización primaria es utilizar métodos indirectos o vender su propio producto, sería preferible que se concentrara en utilizar los espacios de su blog para tales fines. Además, deberá tener en cuenta si los anuncios pueden ser considerados de mal gusto en su gusto. Es mucho más probable que la gente ignore un anuncio feo en un blog establecido que en uno nuevo. No le recomiendo que dañe la confianza incipiente que pueda estar ganándose con anuncios poco atractivos.

Una vez más, escoger si mostrar anuncios o no es una decisión personal que viene determinada tanto por las presiones financieras como por el gusto personal. Afortunadamente no hay una respuesta correcta o fallida, y la presencia de anuncios ya no despierta tantas suspicacias como hace unos años.

MONETIZAR DIRECTAMENTE CON ANUNCIOS

Los anuncios son de largo el método de monetización más popular utilizado por los blogueros. Una vez que se decida a emplear anuncios, su siguiente decisión será el tipo de estos.

El sistema de anuncios más popular entre los blogueros es Google AdSense, aunque existen otros varios sistemas que puede elegir, entre los que se incluyen:

- AdGenta.
- Blogads.
- CrispAds.
- IntelliTXT.
- DoubleClick.
- Kanoodle.
- Text Link Ads (consulte el aviso que se muestra más adelante en esta sección).

De hecho, hay muchos tipos y variedades de anuncio, desde banners, enlaces y anuncios textuales a anuncios emergentes. Es fácil verse desbordado y no saber cuál probar primero. Lo mejor es que centre sus esfuerzos en uno o dos a la vez y que pida consejo a otros blogueros para ver cuáles les van mejor a ellos.

Aunque existe una gran variedad de tipos de anuncio, en general suelen encajar en una de las siguientes categorías:

- **Anuncios de tipo banner:** Éstos son los anuncios gráficos tradicionales, que muestran textos e imágenes. Se pueden contratar a un sistema de anuncios para que los sirva, o se puede llegar a un trato privado entre el anunciante y el bloguero. Los banners llevan ya años rondando por Internet, por lo que resultan familiares a los usuarios de las Webs. Puede ver algunos ejemplos de anuncios de tipo banner en la figura 5.2.

Figura 5.2. Algunos banners de ejemplo.

- **Anuncios de tipo texto:** Los anuncios textuales no tienen gráficos, sólo texto y un enlace. Son tremendamente populares entre los anunciantes, en especial cuando son contextuales, es decir, cuando el anuncio coincide automáticamente con el contexto en el que se sitúa. Esto les hace estar tremendamente dirigidos. Por ejemplo, alguien que busque "pelucas rojas" verá anuncios de "pelucas rojas" en la página. Programas como AdSense e YPN son muy populares entre los blogueros, sobre todo porque son muy sencillos de utilizar. Implementar este tipo de anuncio sólo implica pegar algún código en una plantilla. Todo lo demás, desde encontrar a los anunciantes hasta mostrar los anuncios, lo hacen otros por nosotros. Los anuncios contextuales se adaptan mejor a los blogs que tienen algún tipo de vertiente comercial con muchos productos y servicios asociados que anunciar. No funcionan tan bien en los blogs genéricos, que tratan muchos temas a la vez, o con los de opinión. La figura 5.3 muestra algunos ejemplos de anuncios de tipo texto.

Figura 5.3. Ejemplo de anuncios de tipo texto.

- **Publicidad basada en el producto:** Se trata de un tipo reciente de sistema publicitario orientado a promocionar productos específicos de revendedores o subastas. El más conocido es el producto eMiniMalls de Chitika. Estos sistemas, ya sea contextualmente o en función de los ajustes del bloguero, presentan selecciones de productos dirigidas a los lectores que muestran imágenes en miniatura y un precio. Para nichos muy basados en productos, estos sistemas pueden funcionar bien, pero como ocurre con otros tipos de anuncios, se requiere cierto periodo de prueba y adaptación. Puede ver una muestra en la figura 5.4.

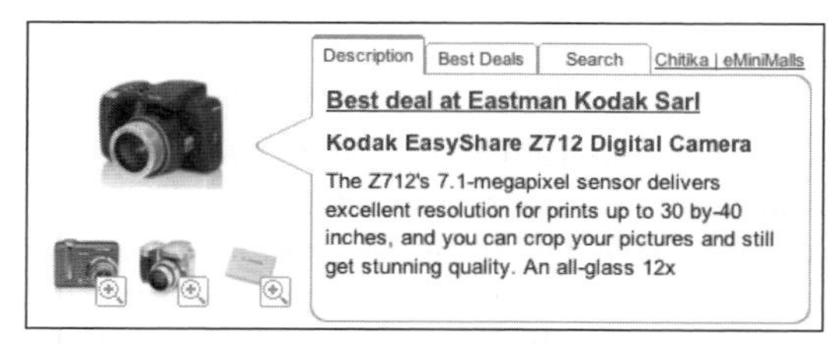

Figura 5.4. El eMiniMall de Chitika.

- **Anuncios de enlaces de texto:** Durante un tiempo, vender enlaces fue una manera de vender anuncios increíblemente popular. Lo bueno de esto es que no ocupan mucho espacio, y que dependiendo del sistema que elija para implementarlos, puede tener control sobre qué anunciantes acepta o rechaza. A los anunciantes les encantaba el sistema, porque los enlaces influían sobre Google y mejoraban los resultados en los motores de búsqueda. Muchos blogueros utilizaban los enlaces como su principal fuente de ingresos. Lamentablemente, Google hizo una sonora comunicación pública sobre su desaprobación y penalización de los enlaces de texto, lo que redujo drásticamente las ventas y asustó a muchos blogueros. No le recomendamos que venda enlaces, a menos que esté seguro de que sepa lo que está haciendo.

- **Anuncios de tipo RSS:** Leer blogs a través de RSS es algo que cada vez tiene más aceptación entre la gente. Como consecuencia, los proveedores y editores de anuncios se han preocupado de encontrar modos de colocar anuncios en los *feeds*. Aunque no haya oído hablar demasiado aún sobre gente que haya hecho fortunas con anuncios de tipo RSS, éstos son una opción a tener en cuenta. El modo en que aparecen en los *feeds* los hace complementarios a cualquier publicidad del sitio, porque además le permiten obtener dinero de la gente que nunca visita el blog en sí.
- **Patrocinio:** Otra forma de publicidad utilizada por un pequeño número de blogueros es el patrocinio, cuya naturaleza puede variar según el acuerdo, aunque en la mayoría de los casos consiste en mostrar banners durante una cierta cantidad de tiempo, mostrando logos en el encabezado o una columna, o ser mencionado en comparaciones o análisis como proveedor de un producto.

Ejercicio

Anote los blogs que conoce que incluyen publicidad, de qué tipo es ésta y cuántos anuncios muestran. ¿Le parece que estos anuncios distraen o producen rechazo? ¿Cuáles le parecen bien y qué blogs van demasiado lejos?

Tipos de pago de anuncios

Los anunciantes pueden pagar por estar presentes durante un cierto tiempo independientemente, como una cantidad fija por mes. Luego hay anuncios que se pagan conforme a criterios más estrictos. Actualmente se emplean tres tipos de pago populares en función del rendimiento:

- **CPC:** Las iniciales CPC proceden de "coste por clic". Se hace un pago por cada clic, de manera que el anunciante paga una cierta cantidad por cada clic recibido sobre un anuncio suyo.
- **CPM:** Las iniciales CPM vienen de "coste por millar" de impresiones, lo que significa que el anunciante paga una cierta cantidad por el número de veces que se muestra un anuncio. Cada visualización se considera como una "impresión".

- **CPA:** Las iniciales CPM vienen de "coste por adquisición", lo que significa que el anunciante paga una comisión si el anuncio genera una venta, inscripción, o un cliente potencial.

ENCONTRAR ANUNCIANTES

La ventaja de los sistemas automatizados es que, en teoría, le acercan a los anunciantes, pero éste no es necesariamente el caso, aparte de que algunos de los mejores acuerdos son los que cada cual obtiene por su cuenta. Para empezar, no hay ningún intermediario que se quede con una parte del dinero.

La clave para conseguir anunciantes es tener un blog atractivo y después abordar a los posibles clientes con el tono adecuado.

Prepararse para los anunciantes

El primer paso para conseguir anunciantes es poner la casa en orden.

Tener un botón "anúnciese aquí" y una página de anuncios

Esto es fundamental. Si los anunciantes van a saber que se pueden publicitar en su página, deberá mostrárselo, aparte de que tendrá que tener a mano toda la información disponible. Incluya un modo fácil de contacto para obtener más información y sus tasas, si no están visibles aún. Cree una imagen fácil y colóquela donde se la pueda ver.

Explique claramente quién es, de qué trata su sitio y por qué es una autoridad en la materia. La clave es tener la respuesta a por qué iban a pagarle por anunciarse. La figura 5.5 muestra la respuesta a la pregunta "¿Qué hay para mí?" de la página de anuncios de Darren.

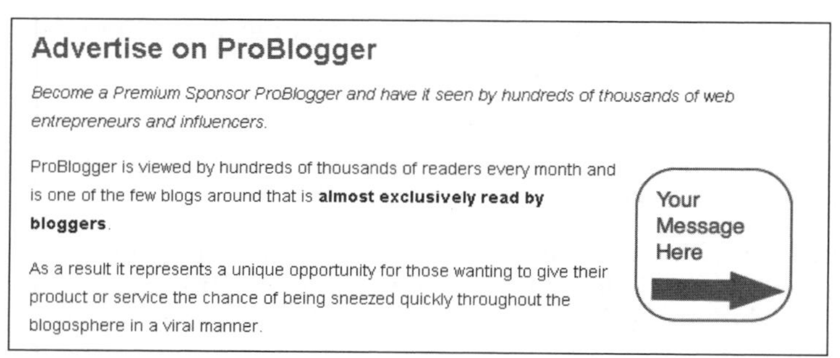

Figura 5.5. Un ejemplo de página del tipo "anúnciese aquí".

Muéstreles lo que van a comprar

Si actualmente no tiene zonas de pago en su sitio, coloque "anuncios de la casa" (es decir, banners de productos o sitios de su propia empresa) o de empresas asociadas en el mismo punto en que insertaría un anuncio de pago.

Ofrezca un obsequio

Cree un anuncio gratis en su sitio para captar la atención de la empresa objetivo o de sus competidores. Pregunte educadamente qué tal va el anuncio (por ejemplo, por clics totales, si ha habido compras, etc.). Puede que descubra que una vez que empiece a recibir tráfico, la empresa desea pagarle por el anuncio para mantener el flujo de nuevos visitantes.

Muestre sus estadísticas

Tendrá que mostrar al menos la información básica, como los visitantes únicos al mes y las vistas de páginas. Para muchos anunciantes, las cifras del tráfico son vitales. No deje de trabajar para mantener actualizadas estas estadísticas según vaya aumentando el tráfico. Esté preparado para compartir sus números y respáldelos con gráficas de diferentes paquetes estadísticos.

También vale la pena que muestre cualquier otra información que pudiera ser útil a sus anunciantes, como información sobre el género y la edad. Muestre que conoce bien a su audiencia y hágase atractivo para su mercado. Si no tiene a mano esta información, haga un sondeo o hágase con estadísticas de pago más detalladas, como las de comScore o Quantcast.

Con frecuencia, Darren les dice a sus anunciantes en potencia las palabras clave y las frases por las que está posicionado en Google. Haga una lista de las palabras para las que está posicionado para tenerla en cuenta la próxima vez que hable con un anunciante. Si la gente busca en Internet información sobre los productos que ellos venden y acaban en su sitio, dispondrá de un valioso y único punto de venta.

Mantenga su blog centrado y profesional

Si no escribe sobre asuntos que atraen a una audiencia específica, los anunciantes no sabrán si encajan bien en su sitio. Si trata temas aleatorios, soltando charlas interminables sobre su camino al trabajo, comentando todos los productos que se le ocurran y adopta otros comportamientos impredecibles, asustará a sus anunciantes.

Prepare un pack del anunciante

No todos los anunciantes querrán leerse su página para anuncios, aparte de que parecerá más profesional si tiene disponible información exhaustiva en vez de una breve página esquemática. Recopile sus gráficas, valoraciones, opciones publicitarias (es decir, lo que ofrece), estadísticas demográficas de lectores y cualquier otra información relevante en un documento de aspecto profesional que pueda enviar por correo a los anunciantes interesados. Incluya los detalles de contacto, referencias y testimonios de otros anunciantes, si puede.

Venta de nichos

La mayoría de nosotros no competirá directamente con la multitud de publicaciones existentes para el gran público. No intente engañar a los anunciantes haciéndoles pensar que es más grande de lo que es; utilice su estatus en su nicho como algo positivo y venda el hecho de que puede hablar de manera persuasiva para un grupo reducido y concreto de personas. Esto hará que el anunciante vea que emplea su dinero de una manera más eficaz: "Si se gasta 1 € en un sitio grande, llegará a un montón de gente que quizá esté interesada en este tema; si se gasta 1 € en nuestro sitio, llegará a gente que está obsesionada con este tema..."

Conseguir anunciantes

Una vez que tenga claro su punto de vista, el siguiente paso será localizar a los anunciantes potenciales y acercarse a ellos.

Localizar anunciantes

Empiece buscando cerca de casa. Eche un vistazo a su propio blog; ¿hay ya gente anunciándose en él? Si ha incluido Google AdSense, entonces Google ya le estará sirviendo anuncios. ¿Por qué no contacta con ellos y llega a un acuerdo?

A continuación, compruebe quién se anuncia en los blogs similares al suyo. Haga clic en unos cuantos y averigüe los detalles de contacto. Envíe un educado y breve correo preguntándoles si estarían interesados en anunciarse también en su blog. Incluya una breve información para hacer que se interesen, junto a un enlace hacia su página para anunciarse, y hábleles de su pack para anunciantes sin enviárselo directamente.

Las empresas que ya se anuncian en blogs van a estar mucho más abiertas a ello que las que no han probado aún este tipo de publicidad. Pero por la misma lógica, aquellas que ya se anuncian en Internet serán mejores candidatos a probar a anunciarse en blogs que las que nunca han se han publicitado en una Web. Fíjese en quién contrata Google AdWords para las búsquedas habituales de su nicho. Conocerá los productos y las empresas de su nicho. Haga una lista de cada empresa que le gustaría ver anunciarse en su blog y empiece a llamarlas. En definitiva, vender anuncios es una lotería y cuantas más ranas bese, más opciones tendrá de convertir una en príncipe.

Acercarse a los anunciantes

Aunque algunos anunciantes contactarán con usted después de leer su página "anúnciese aquí", al resto tendrá que acercarse directamente, por lo que es buena idea que cree una carta estándar para dirigirse a ellos. No hay una solución única para ello, aunque puede seguir estas directrices que le indicamos:

1. Preséntese y explique rápidamente por qué les escribe.
2. Explique por qué ha decidido contactar con ellos, haciendo énfasis en lo que van a ganar.
3. Proporcione unos cuantos detalles de su blog (tráfico, suscriptores, temática, audiencia).
4. Cuénteles las opciones de que disponen para anunciarse (ubicación en el sitio, número máximo de anunciantes, precio mensual).

No lo recargue. Los posibles anunciantes deberían poder decidir rápidamente si están interesados o no. Si responden, entonces ya podrá proporcionarles los detalles secundarios. Recuerde que toda la información anteriormente indicada debe estar contenida en dos o tres párrafos, como mucho. Si les envía todo un ensayo, lo considerarán spam.

Ejercicio

Anote todos los posibles anunciantes que crea que podrían estar interesados en su blog. Según vaya visitando blogs, anote también quién se anuncia y, de las páginas del tipo "anúnciese aquí", qué podrían estar pagando. ¿Hay algunos "sospechosos habituales" que tiendan a anunciarse mucho? ¿Qué es lo que se suele pagar en su nicho?

Recibir pagos

Aunque ya lo tenga todo controlado, si no es capaz de recibir pagos, o lo más importante, si los anunciantes no pueden pagarle con facilidad, los acuerdos se acabarán rompiendo.

PayPal suele ser la mejor opción, porque le permite aceptar transferencias monetarias y pagos con tarjetas de crédito; no obstante, PayPal no está disponible actualmente en todos los países.

Cuánto cobrar

La cantidad a cobrar dependerá de lo que tenga pensado pagar un anunciante y del valor de lo que le proporcione.

Obviamente, los anunciantes querrán ver algo a cambio de su inversión, ya sea en forma de un aumento de las ventas o de los contactos. Asegúrese, por tanto, de que hace todo lo posible para asegurarse de que puede demostrarlo.

Recuerde que existen algunas opciones publicitarias bastante baratas, por lo que tendrá que ser competitivo. Dado que ha reservado un buen sitio para los patrocinadores (una columna o un encabezado, preferentemente), podría empezar cobrando 0,40 € CPM (40 céntimos por cada 1.000 páginas vistas). Con este precio, un blog que genere 100.000 páginas vistas al mes podría ingresar unos 40 € al mes por ese anuncio.

Empiece por poco para obtener unos primeros beneficios y vaya aumentando sus precios poco a poco. Los blogs súper-populares como TechCrunch han llegado a tener un CPM que en ocasiones ha alcanzado los 7,50 €, pero para llegar hasta ahí hace falta tiempo y una enorme credibilidad.

Puede saber si está cobrando una cantidad adecuada empleando AdSense en los lugares en los que insertará anuncios directos. Analice cuánto ganaría con AdSense, y ajuste sus tarifas en función de ello. Además de esto, puede consultar las páginas del tipo "anúnciese aquí" de sitios similares.

Sea flexible en lo referente a los términos, ofreciendo quizá periodos gratuitos de prueba. Llegue a acuerdos publicitarios mensuales. A la gente no le gusta comprometerse a algo en lo que no confían plenamente. Promocione los acuerdos a largo plazo con un descuento.

Formatos de anuncio

Los formatos a mostrar son probablemente una cuestión que depende de lo que quieran pagar los anunciantes. Si echa un vistazo, la mayoría de los blogueros utilizan el banner pequeño y cuadrado de 125 píxeles, como el de Darren que vimos en la figura 5.2 de este capítulo.

A lo largo del último año, aproximadamente, el anuncio de 125x125 píxeles se ha convertido en el más habitual para los anunciantes. Algunos de los blogs más prominentes que utilizan estos pequeños banners son TechCrunch, ReadWriteWeb, Copyblogger y John Chow dot Com, entre muchos otros.

Los anuncios de 125x125 píxeles son una opción atractiva para los blogueros y para los anunciantes por las siguientes razones:

- A los diseñadores de los blogs les gusta el modo en que se acoplan a las columnas o filas.
- Se pueden incluir varios en el espacio reservado para un anuncio más grande (cuatro anuncios de 125x125 caben perfectamente en el espacio reservado para un anuncio rectangular grande o uno de tipo "rascacielos"). Esto le ofrece más opciones, e incluso más ingresos potenciales.
- A los anunciantes les gusta el hecho de que con frecuencia son más baratos que un anuncio más grande, de manera que pueden hacer que su publicidad aparezca en varios blogs por el mismo precio que costaría un anuncio grande en un único blog.
- Los programas de afiliados cada vez ofrecen más anuncios de este tamaño para promocionar sus productos. Veremos estos programas con más detalle más adelante. Los blogueros pueden utilizarlos en las zonas publicitarias que no hayan cubierto, aprovechando así su espacio y proporcionando así un aspecto más popular a sus anuncios.

Algunos formatos de anuncio funcionan mejor en algunas industrias que en otras; cada nicho e industria tendrá sus propias preferencias en lo referente a los tamaños. Muchos de los anunciantes más grandes tendrán en nómina a agencias que quizá prefieran unos tamaños más tradicionales, y algunas no están preparadas para vender otra cosa.

Lo mejor es que eche un vistazo para comprobar qué tipos de anuncios se estilan en su nicho antes de decidir qué tipos debería ofrecer.

Cuántos anuncios mostrar

Antes de rellenar su blog con anuncios, considere el efecto que puede causar tener demasiados anuncios.

Mostrar demasiados anuncios es malo para los lectores, porque ello puede asfixiar al contenido y hacer que los nuevos visitantes abandonen el blog. Algunos blogs tienen tantos anuncios que su contenido queda desplazado a la parte inferior de la página y, en definitiva, oculto.

Desde el punto de vista del anunciante, demasiados anuncios en una página diluyen la conversión que obtienen estos. Si un anuncio tiene a su lado 3 más, tendrá muchas más probabilidades de llamar la atención y recibir un clic que si tiene otros 10 alrededor.

Dese una vuelta por los blogs de su nicho y fíjese en dónde colocan los anuncios y cuántos hay. Tome nota en particular de los que parezcan recargados. En la mayoría de los casos verá un anuncio en el encabezado y puede que unos cuatro en una columna. Todo lo que sea superar eso, hará que su blog corra el riesgo de parecerse más a un coche de carreras que a un sitio de contenidos.

Optimizar los anuncios

Para sacarle el máximo partido a sus publicidad, deberá tener anuncios que se puedan mostrar sin causar molestias ni distraer a sus lectores del contenido. Esto significa hallar un equilibrio entre las ubicaciones de buena visibilidad para los anuncios, los formatos de estos y la comodidad de sus lectores habituales.

En general, esto significa situar los anuncios en la parte visible, es decir, por encima de la parte inferior de la ventana del navegador, en un sitio en el que no haga falta desplazar la ventana para verlos. Los anuncios tienden a recibir más clics si están incrustados en el contenido, pero debe asegurarse de que no dificulten la legibilidad.

Con servicios como Google AdSense, puede probar con variaciones de color, y vale la pena que experimente. A algunos blogueros les va bien acoplando sus anuncios al esquema de colores de su blog, mientras que otros dicen obtener mejores resultados cuando los anuncios destacan y contrastan con el resto de su contenido. Aunque resulta ideal para conseguir más clics, camuflar los anuncios como elementos de navegación es un truco bastante miserable, que incluso puede causarle un problema con su servicio publicitario.

Monitorice todos los cambios que haga para ver si el rendimiento mejora o se reduce. Escuche los consejos de los demás blogueros para saber qué les funciona a ellos.

OTRAS VÍAS DIRECTAS DE INGRESO

Además de los anuncios, hay algunos otros modos de generar ingresos directos. Vamos a echar un vistazo a algunos.

Programas de afiliados

Los programas de afiliados son aquellos en los que se lleva una comisión por conseguir un cliente para un producto. Probablemente, el más común entre los blogueros sea el programa Amazon Associates, que actualmente tiene decenas de miles de productos a los que puede enlazar. Darren lo utiliza en su blog de fotografía, obteniendo un magnífico efecto (véase la figura 5.6).

Digital SLRs

1. Canon Digital Rebel XT 8MP Digital SLR Camera with EF-S 18-55mm f3.5-5.6 Lens
2. Canon Digital Rebel XTi 10.1MP Digital SLR Camera (Black Body Only)
3. Nikon D200 10.2MP Digital SLR Camera (Body Only)
4. Canon EOS 30D 8.2MP Digital SLR Camera (Body Only)
5. Nikon D40x 10.2MP
6. Nikon D80 10.2MP Digital SLR Camera Kit with 18-135mm
7. Pentax K10D 10.2MP Digital SLR Camera with Shake Reduction (Body Only)
8. Sony Alpha A100K 10.2MP Digital SLR Camera Kit with 18-70mm
9. Canon EOS 5D 12.8 MP Digital SLR Camera (Body Only)
10. Nikon D50 6.1MP Digital SLR Camera (Body Only)

Figura 5.6. Darren utiliza enlaces de Amazon en su blog de fotografía.

Hay otros programas de afiliados que representan a muchas empresas y productos diferentes, entre los que se incluyen LinkShare, Commission Junction y ClickBank.

Ejercicio

Haga una lista con los productos de buena calidad que haya comprado recientemente y que coincidan con su nicho. Inscríbase en Amazon Associates para poder proporcionar enlaces a estos. Busque comentarios y análisis en los principales blogs sobre su materia y las áreas relacionadas para hacerse una idea de los productos que podría incorporar a su blog.

Consejos para utilizar los programas de afiliados en su blog

Los programas de afiliados exigen algo de trabajo para sacarles el máximo partido, pero pueden ser lucrativos si incluye el programa adecuado en el blog adecuado.

Debe tener cuidado al utilizar los enlaces de afiliados, porque realmente está recomendando un producto. Sugiera a sus lectores la compra de un producto de mala calidad o poco recomendable y verá como pierde su buena reputación rápidamente. Además, en EEUU las autoridades tienen reglas estrictas en este terreno. Para empezar, debe declarar su relación como afiliado y tener cuidado con las quejas que haga sobre el rendimiento de los productos.

Vamos a ver algunos consejos para obtener el máximo partido de un programa de afiliados en su blog.

Tenga en cuenta a su audiencia

Póngase en el lugar de sus lectores y piense qué podrían estar buscando cuando navegan por su blog. ¿Compran productos específicos? ¿Podrían estar buscando productos relacionados o accesorios? ¿Qué podría animarlos a comprar? Ponga a su lector por delante del producto. Al final le estará haciendo un favor, aparte de obtener unos cuantos dólares de paso.

Autenticidad

Existen literalmente cientos de productos y servicios que escoger para recomendar a sus lectores, pero hacer dinero con ellos no es tan sencillo como añadir enlaces aleatoriamente a su blog. Los lectores regresan al blog día tras día porque hay algo con lo que se sienten identificados. No recomiende productos que no crea realmente que les van a beneficiar. Si tiene dudas, dígalo.

Los mejores resultados que he tenido de un programa de afiliados han sido ofreciendo una valoración abierta y honesta del producto, incluyendo tanto sus puntos fuertes como los débiles. Quizá no le parezca muy acertado, que para maximizar las ventas debería ofrecer un análisis satisfactorio de todos los productos; sin embargo, los datos nos dicen otra cosa. La gente quiere saber lo que está comprando. Tenga en cuenta su propia experiencia al comprar en Amazon o en cualquier otro sitio que muestre artículos de análisis. Siempre que pueda, escoja productos y empresas con buena reputación y páginas de venta de calidad.

Alcance de los enlaces

Siempre decimos a los blogueros a los que asesoramos que deberían aprender algo de los anuncios contextuales en lo referente a los programas de afiliados. El secreto de los anuncios contextuales como AdSense es que los anuncios coinciden con el contenido. Lo mismo ocurre con los programas de afiliados. Un banner de una página general en cada página de su sitio no será ni por asomo tan eficaz como varios enlaces a lo largo de su blog anunciando productos relevantes. Así pues, si está escribiendo un artículo sobre un reproductor de MP3, enlace directamente a una página que vende ese producto en particular.

El tráfico es importante

Aunque no es el único factor, los niveles de tráfico son fundamentales para hacer dinero con un programa de afiliados. Cuanta más gente vea sus enlaces de afiliados, más probable será que haga una venta. Piense en cómo podría dirigir el tráfico de su blog hacia páginas en las que sea más probable que vean sus enlaces de afiliados.

Rastree los resultados

La mayoría de los programas tienen al menos algún tipo de rastreo. Vea lo que se vende y lo que no. Observar los resultados le puede ayudar a planificar futuras iniciativas con afiliados. Fíjese en qué posiciones funcionan bien para los enlaces, qué productos se venden, qué palabras van mejor alrededor de los enlaces, etc., y utilice la información recopilada cuando vaya a pensar en futuras estrategias para afiliados.

Consejo para blogueros de ProBlogger: Enlaces de afiliados

Ha habido un enorme debate a lo largo de los años sobre los enlaces de afiliados, pero en general, si enlaza a un producto que recomendaría de verdad independientemente de cualquier posible comisión, no creo que vaya por mal camino. Actualmente, la gente espera que sus artículos les dirijan a un lugar en el que puedan comprar un producto. Si su audiencia es especialmente sensible, es recomendable que deje claro en el artículo que aunque sus enlaces llevan a productos de afiliados, usted recomienda el producto de todos modos, así como que proporcione una cláusula de exención de responsabilidad a pie de página o en la página "Acerca de...".

Donaciones

En vez de vender algo a través de anuncios o afiliados, puede pedir pequeñas donaciones. Hay un pequeño número de blogs que tienen fama de haber reunido una buena cantidad mediante donaciones; se me vienen a la mente nombres como Jason Kottke y Leo Laporte.

Si quiere tener éxito al pedirles dinero a los lectores es recomendable que posea ya una audiencia amplia y leal que valore su trabajo en su justa medida. La mayoría de los blogueros no llegan a los mínimos o el estatus de culto necesarios para que ello funcione, aunque usted podría obtener algunos euros.

Hubo una época en la que experimenté con un botón que decía "Págueme un café". Aunque nunca llegué a revelar mis ingresos, sí que obtuve un puñado de donaciones a través del plugin. Tras el empujón inicial, la cosa se estabilizó en una media de unas cuantas donaciones cada par de días. Suponiendo que la gente quiera retribuirle por sus artículos, es posible que las donaciones que reciba compitan con las de AdSense.

Aunque no seguí por el camino de las donaciones durante mucho tiempo, sí que hice unos cuantos descubrimientos:

- La gente desea recompensar a los blogueros cuando aprecian lo escrito.
- Parecía haber una cierta demanda contenida de que existiera un modo concreto en el que mis lectores pudieran recompensarme. Sólo por este motivo habría valido la pena mantenerlo o encontrar algún otro medio de agradecimiento.
- Buena parte de la atención que ello recibió se debía a la novedad; hubo una gran respuesta al principio, pero luego fue menguando.
- Mis artículos más recompensados fueron los de tipo motivacional. Parecía existir una correlación entre las donaciones y "sentirse bien", algo que parecía tener sentido. Por otra parte, por los mensajes que recibí se deducía que entre los que donaban había gente que llevaba un tiempo leyéndome, por lo que tanta importancia tenía el blog en su conjunto como los artículos en particular, a la hora de hacer clic.
- Había quien opinaba que estaba pidiendo limosna. Yo no lo veo así, pero puede que sus lectores sí lo hagan. La mayoría de la gente que me envió dinero estaba sinceramente agradecida por lo que había leído.
- No hallará mayor motivación que alguien que le envía dinero de su propio bolsillo. Si alguien le da dinero en efectivo, no lo dude, su blog va por buen camino.
- Es buena idea tener un botón de PayPal en algún punto de su blog; había un par de personas que solían enviarme pagos esporádicos.

Suena bien, ¿verdad? Entonces, ¿por qué lo dejé? En mi caso fue una cuestión de gustos. Animo a probarlo a todo aquél que esté interesado, pero no creo que las donaciones funcionen en mi propio blog, porque ya obtengo suficientes ingresos de mis productos y servicios.

Anuncios clasificados

A algunos blogs les va muy bien con los anuncios clasificados, como al ProBlogger Job Board de Darren (`http://jobs.problogger.net`) que vemos en la figura 5.7. Si tiene una audiencia considerable que necesita anunciar trabajos, noticias locales, vender algo u ofertar empleos, vale la pena que lo pruebe.

Mercadeo

Esto no funcionará en todos los blogs, aunque existen servicios como `CafePress.com` que le permiten vender artículos como camisetas, tazas, etc., con sus propios logos y diseños. Podría funcionar bien para determinadas temáticas o audiencias, con el beneficio añadido de que cada cliente hará de anuncio ambulante de su blog.

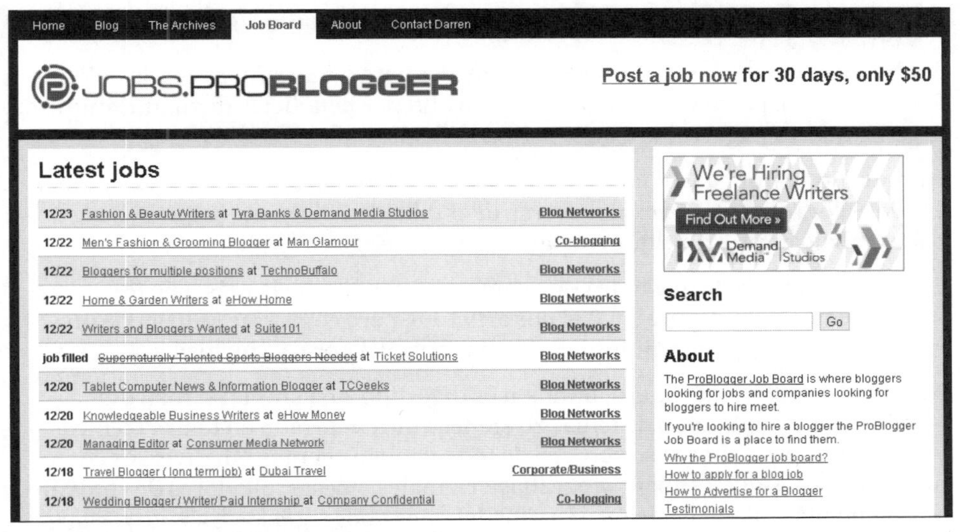

Figura 5.7. El ProBlogger Job Board.

Suscripciones

Unas de mis estrategias favoritas de monetización son aquellas que le permiten cobrar una suscripción en lugar de un único pago, haciendo una venta de una sola vez pero obteniendo pagos regulares a lo largo del tiempo, de modo similar a como hacen los gimnasios con sus socios. Algunos blogueros lo hacen con foros privados, como el sitio de pago de Darren, `http://problogger.com`, mientras que otros ofrecen cursos prácticos en línea, como el curso `http://AuthorityBlogger.com` de Chris. Vale la pena investigarlo.

El problema con el que se encuentran algunos blogueros es que algunos de los temas para los que podría pensar en iniciar un sitio de pago ya disponen de contenidos gratuitos en Internet. Para que tengan éxito, deberá proporcionar algún tipo de contenido exclusivo o de calidad superior y/o ser una autentica autoridad en la materia.

VÍAS DE INGRESO INDIRECTAS

En lugar de trabajar para hacer dinero a través de los anuncios y otros medios directos, puede optar por otro caminos rentables y hacer dinero indirectamente. Las tácticas de monetización indirecta se basan que el autor muestre su experiencia, sus conocimientos y su personalidad a través de su blog. Vamos a echar un vistazo a las opciones de monetización indirecta más populares.

Bloguero freelance

Ser bloguero freelance es un magnífico medio para ganar dinero con los blogs. En vez de trabajar con su propio blog para obtener beneficios mediante anuncios, la gente querrá pagarle para que escriba para ellos.

Aunque no se trata de un ingreso pasivo, está relativamente bien pagado, como era de esperar, y es a su vez una forma de publicidad, de manera que si hace un buen trabajo es probable que consiga otros encargos.

En sus inicios, puede que tenga que comenzar por el salario más bajo (es frecuente una cantidad de 7 u 8 € por artículo), pero conforme se haga de una reputación podrá ganar multiplicar dicha cantidad por 10 o incluso más.

No es sólo cuestión de dinero; también es divertido, en especial si disfruta escribiendo y cambiando de tema. Yo empecé muy centrado en temas técnicos y para *geeks*, pero ahora escribo casi de todo y tengo clientes tan diversos como microempresas que venden fotografías originales o desarrolladores de software. Me encuentro en una posición afortunada, pues ahora son los trabajos los que vienen a mí; en el pasado no era este el caso.

El primero sitio para empezar a buscar trabajos como escritor es en su propio blog y su propia audiencia. Inserte una página en la que cuente que está disponible para ser contratado y haga referencia a ésta en su página principal y en sus artículos. Es más probable que sea la gente que le lee con regularidad la que desee contratarle, porque ya saben cómo trabaja y les gusta, además de haberse generado una cierta confianza. Usted es un valor fijo.

Por extensión, cualquier artículo que escriba como invitado posee un potencial similar. Aunque los lectores no le vean con tanta frecuencia, incluir una pequeña referencia a sus servicios como freelance en su firma podría reportarle algunos clientes. Vea si puede colocar algunos artículos como invitado en blogs similares, y haga la prueba.

Lo siguiente es preguntar. Trabaje en su blog de cara al exterior, a gente que le conoce. Corra la voz de que busca trabajo como escritor. No se trata de mendigar; usted puede ayudar realmente a algún otro con sus habilidades como escritor, o simplemente ahorrarle tiempo. La mitad de mi trabajo lo obtengo de los amigos de amigos y del boca a boca, por lo que se trata de un método realmente efectivo. Es difícil venderse a uno mismo cuando se está inactivo, por tanto es útil que alguien lo haga por nosotros.

Trabaje en los foros. Sus artículos no tienen por qué aparecer sólo en blogs para llamar la atención; los foros de blogueros son otro buen sitio para que aparezca su nombre. Unos buenos artículos en foros y una actitud natural y abierta pueden ser todo lo que necesita para que le paguen o le inviten a realizar colaboraciones que le conduzcan al trabajo pagado. Al igual que antes, mencione su disponibilidad en su perfil.

Inscríbase en ofertas de trabajo por Internet. Hay montones de Webs con ofertas; puede empezar por las siguientes direcciones:

```
http://freelancewritinggigs.com
http://jobs.problogger.net
http://craigslist.org
http://jobs.freelanceswitch.com
```

Una vez que se haga conocido y empiece a buscar de verdad, verá cómo hay oportunidades para los blogueros constantes.

Qué buscan los propietarios de blogs

Hay muchas razones por las que alguien podría contratar a un bloguero, aunque las más comunes son:

- Para mejorar el tráfico, la visibilidad y el posicionamiento en los motores de búsqueda.
- Para aumentar su credibilidad y su estatus en la materia.
- Para proporcionar un contenido a sus visitantes de manera regular.
- Para incrementar las ventas y conservar a los clientes.

Cuando los propietarios de los sitios buscan un bloguero para que les escriba, tienen los siguientes criterios en mente:

- ¿Pueden escribir artículos originales e interesantes sobre el asunto?
- ¿Su estilo se adapta al sitio y a su audiencia?
- ¿Podrán escribir sobre todos los tipos de contenido requeridos?
- ¿Realmente mejorará esto los artículos de mi sitio?

Los primeros tres puntos tratan sobre el oficio de escritor. Si puede demostrar su habilidad en las muestras que presente, ya tendrá recorrida la mitad del camino. No obstante, por lo general hay muchos otros escritores en el mercado, por lo que la decisión se toma realmente en función del último punto.

Si lo que busca es que le paguen por el trabajo de escribir en blogs deberá tener un buen archivo de artículos a los que hacer referencia, como valor añadido al mero hecho de escribir. Siga estos consejos:

- Cree su propio blog; demuestre que puede hacer el trabajo que le han solicitado.

- Varíe sus artículos estándar para mostrar sus capacidades. Tenga una colección de artículos sobre noticias, de revisión, de opinión, ensayos y tutoriales. Si hay un blog concreto para el que le gustaría escribir, intente coincidir exactamente con el tipo de contenido, estilo y actitud que les gustaría.
- Demuestre que posee habilidades valiosas como conocimientos básicos de SEO y experiencia en la promoción de blogs.
- Dese a conocer en los foros, con comentarios inteligentes que aumenten sus probabilidades de ser contratado.

La pregunta a hacerse es, "¿Por qué yo? ¿Por qué me escogería alguien a mí y no a otro bloguero?". Si puede responder a esta pregunta de manera convincente, no tendrá problemas para conseguir trabajos pagados.

¿Por qué convertirse en bloguero freelance?

Para el bloguero los beneficios se reducen a incrementar su visibilidad y a recibir pagos. Los pagos pueden ser por artículo, en función de las palabras escritas, o por anticipado. Obviamente, todas las tasas están sujetas a la negociación, las expectativas, la longitud del artículo, su complejidad y la experiencia del bloguero. Si acaba de empezar, no espere obtener más de 15 € por artículo, pero en el caso de un bloguero reputado en un nicho competitivo, en el que se requiere mucha investigación, puede multiplicar dicha cantidad por 10 ó 20.

El acuerdo puede funcionar muy bien para tanto el bloguero como el cliente, dado que todo queda claro desde el principio y que la responsabilidad de asegurarse de que esto ocurra es del bloguero.

Algunas de las cuestiones de ejemplo con las que puede que tenga que estar de acuerdo de antemano son:

- ¿Quién es el responsable y cuál es su objetivo?
- ¿Cómo se miden los objetivos?
- ¿Cómo afectará su rendimiento al contrato?
- ¿Qué asuntos se tratarán?
- ¿Hay temas prohibidos?
- ¿Cuál es el calendario?
- ¿Enviará una copia por correo o lo subirá directamente?
- ¿Cómo y cuándo se le pagará?
- ¿Será un contrato fijo o por un tiempo determinado?

- ¿Quién es el propietario del contenido?
- ¿Se le pagará sólo por escribir, o también por otras tareas?
- ¿Tendrán una cuenta en una empresa proveedora de fotografías, o tendrá que proporcionar las imágenes?

Normalmente todo esto se puede aclarar con una sencilla conversación, pero siempre es preferible ponerlo todo por escrito.

Revistas y libros

Una vez que se haga de un cierto nombre en Internet, puede aprovechar esta experiencia y reputación para conseguir trabajos y contratos como escritor para la prensa; todo depende de que le vean como un experto en su campo y de que tenga algo original que decir.

Encontrará editores que sean más receptivos a recibir ideas de alguien que ya se ha creado un público; incluso puede que sean ellos los que se acerquen a usted.

Sin ir más lejos, este libro que está leyendo procede de un blog popular en concreto.

Hay muchos blogs que ya poseen una gran cantidad de artículos que están preparados para ser extraídos en forma de libro. No sólo los editores buscan escritores; a veces los autores ya contratados se ven en un aprieto y necesitan alguien experto que les eche una mano. Después de que los artículos técnicos de Chris se hicieran populares, éste colaboró en varias ocasiones con algunos autores en sus libros, sin cuya ayuda no habrían salido adelante.

Aunque los libros obviamente otorgan más prestigio, las revistas y los periódicos trabajan con una agenda más apretada y pueden ser igual de lucrativos, y en ocasiones más aún. Para acceder a estos, escriba a los editores para que le indiquen cuáles son sus directrices. Una vez más, al igual que con los libros, a veces será el trabajo el que llegue a usted. Manolo, del blog Manolo's Shoe, fue descubierto gracias a su blog y acabó trabajando como escritor para The Washington Post Express.

Conferencias

Una vez más, esto depende del tema tratado, pero algunos blogueros acaban con todo tipo de oportunidades de hablar en conferencias, talleres y seminarios vinculados a la temática elegida. A veces se trata de colaboraciones, en otras la conferencia cubre los costes, y en otras se cobra por ello. Si tiene suerte, puede que incluso tenga una oportunidad de escucharnos tanto a Darren como a mí en varias conferencias.

Consultoría

Cuando sea considerado un experto en su campo, descubrirá que la gente llega hasta usted de manera natural para pedirle consejo y que algunos de ellos están dispuestos a pagarle por ello. Una buena parte de mis ingresos procede de trabajos de consultoría, y me siento afortunado de que este trabajo llegue a mí en lugar de tener que salir a buscarlo.

Obviamente puede que algunos nichos estén mejor posicionados que otros para que sus blogueros cobren por labores de consultoría. La clave está en que a diario muestre en su blog que posee experiencia y conocimientos como para generar confianza. Si muestra que es alguien fiable y que puede proporcionar ayuda, tendrá ganada media batalla.

Los clientes potenciales no sabrán que tiene servicios que ofrecer a menos que se lo diga. En una zona de mi sitio Web tengo un banner que lleva a una página que muestra ejemplos junto a sus precios, como puede ver en la figura 5.8. Una de las ventajas de esto en mi caso es que se me paga por adelantado a través de PayPal por cosas como, por ejemplo, una hora de consultoría telefónica, lo que deriva en que en la actualidad el número de clientes morosos es mínimo para mí.

Figura 5.8. El banner que ofrece los servicios de Chris.

Consejo para blogueros de ProBlogger: Venda sus servicios

¿Podría hacer algo de dinero vendiendo sus servicios? Mucha gente deja pasar de largo la oportunidad de sacar partido económico de los conocimientos y la experiencia que han desarrollado. No sólo los escritores, diseñadores y programadores se pueden beneficiar de su trabajo de esta manera; las cosas que hace a diario podrían ser la solución que busca algún otro. De hecho, cuando tenga su propio blog totalmente operativo, puede que se encuentre con que la gente desea saber si les puede ayudar de a hacer lo mismo. Tómese su tiempo para pensar en los servicios que puede ofrecer.

Ofertas de empleo

Incluso aunque no sea freelance, escribir en blogs puede ser un excelente añadido a su curriculum. Si puede demostrar experiencia y conocimientos, puede que encuentre su trabajo ideal.

El bloguero Steve Rubel fue contratado por una gran empresa de relaciones públicas. Tenemos que creer que este trabajo se le ofreció debido al perfil que se había construido como bloguero. Los blogueros están cada vez más en el punto de mira de las empresas, gracias a las habilidades que han demostrado en su campo. Obviamente, también hay blogueros que han perdido su trabajo a causa de lo que han escrito.

Vender recursos en línea

No estoy seguro de si debo clasificar esto como un ingreso directo o indirecto (y dependiendo de cómo lo haga, probablemente vaya en una categoría u otra), pero algunos blogueros sacan partido de los conocimientos que tienen en un área sacando sus propios productos "virtuales", como cursos a través de Internet, libros electrónicos y vídeos.

Darren ha vendido libros electrónicos desde sus blogs Problogger y Digital Photography School, y Chris los vende a sus lectores de `chrisg.com`, tanto directamente como a través de colaboraciones externas, como Wordtracker.

Chris también imparte cursos, como su curso por Internet, Authority Blogger, además de seminarios en línea y a cursos a distancia en los que puede escucharle e interactuar con él.

La clave para vender productos digitales está en atraer a un público con un claro deseo o necesidad de resolver sus problemas. Descubrirá que es mucho más complicado escribir un libro electrónico y encontrar después un mercado para este.

Puede ver ejemplos de libros electrónicos en el área de descargas para miembros del libro de ProBlogger:

`http://probloggerbook.com/bonus/`

Si aún no está inscrito, puede hacerlo aquí (asegúrese de escribir la dirección exactamente como se indica):

`http://probloggerbook.com/?/register/bonus`

Empresas patrocinadoras y contactos

Una de las ventajas de escribir sobre un asunto de nicho que le interese es que comenzará a conectar con otros que posean intereses y conocimientos similares. Según vaya interactuando con ellos, se sorprenderá de las oportunidades que le surgirán para trabajar juntos.

RESUMEN

Tanto DArreb como yo hacemos dinero escribiendo en blogs con nuestro propio estilo. Somos ejemplos palpables de que no sólo es posible vivir de esto, sino de que también puede ser divertido.

Sea cual sea el método elegido (directo, indirecto, o mixto), espero que este capítulo le haya proporcionado un sistema para hacer dinero con los blogs que encaje con usted.

6. Comprar y vender blogs

Durante los últimos dos años hemos visto cambiar de manos algunos blogs de alto perfil por interesantes sumas de dinero, que en algunos casos populares llegaban a las cinco cifras.

Aunque al principio las ventas eran de dominios y sitios Web tradicionales, ahora los blogs se han hecho un hueco en el mercado de los sitios Web vendibles.

El caso más conocido quizá sea el de Blog Herald (véase la figura 6.1), que ha sido comprado y vendido un par de veces. Uno de los blogs que ayudé a descubrir, Performancing, también acaparó una gran atención y especulación cuando cambió de manos a principios de 2007.

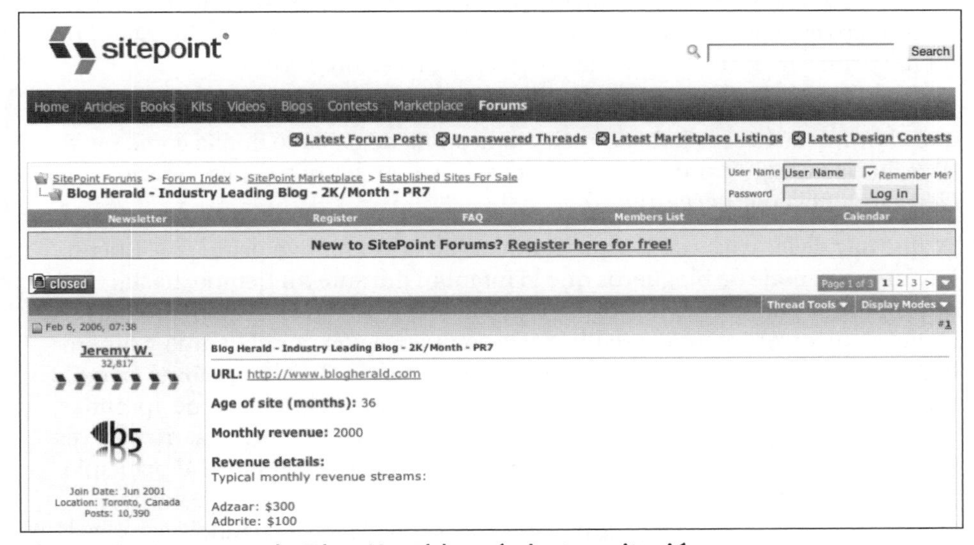

Figura 6.1. La venta de Blog Herald creó cierta agitación.

Aunque las sumas en juego sorprendieron a mucha gente ajena al mundo de los blogs, una vez se asume que un blog es un activo de una empresa, es fácil entender cómo se puede comerciar con ellos de esta manera.

Obviamente, conforme la gente se va enterando del dinero que se puede hacer, acuden raudos para ver si también pueden sacar tajada. Este capítulo habla de cómo se pueden comprar y vender blogs para obtener beneficios de ello.

INTRODUCCIÓN A LA COMPRA Y LA VENTA DE BLOGS

La compra y la venta de blogs funciona de manera similar a cualquier otra forma de comercio de propiedades. Hay compradores, vendedores, agentes e incluso gente que compra para vender propiedades de Internet. Al igual que en el caso de las propiedades físicas, también hay riesgos, estafas y fraudes, por lo que es pertinente hacer ciertas averiguaciones antes de empezar.

¿Por qué vender?

La primera pregunta que tenemos que hacernos es por qué alguien vendería un blog en cuya creación ha puesto tanto esfuerzo.

Como cabría esperar, la razón más común es el beneficio. Hay gente que pagaría bien por un blog bien desarrollado. De hecho, puede conseguir una buena suma por un blog no tan bien desarrollado pero que se puede mejorar fácilmente. Hay un número cada vez mayor de personas que utilizan las ventas de blog como su fuente primaria de ingresos como blogueros profesionales.

Muchas de las ventas privadas de las que he tenido conocimiento se debían a que al propietario se le había ofrecido una suma demasiado buena como para desecharla, aunque también sé de muchos casos en los que el propietario tenía cierta urgencia por hacer dinero.

¿Y qué hay de los casos en los que el dinero no era el motivo principal? Bueno, hay un porcentaje de blogueros que lo intentan durante un tiempo, hasta que un día se dan cuenta de que es demasiado duro. Algunos simplemente abandonan, otros intentan recibir cierta compensación por el tiempo y dinero dedicados, y algunos no quieren que el blog se pierda. Tomemos como ejemplo mi blog de fotografía, DSLRBlog. Empecé el blog con la intención de aprender sobre fotografía, cosa que hice, pero pronto me di cuenta de que mantenerlo en funcionamiento era una dura tarea. Los amigos que me ayudaron al principio perdieron el interés. Un día recibí una oferta muy provechosa, que acepté gustoso. Resulta triste ver a alguien llevarse lo que has construido y cambiarlo hasta dejarlo irreconocible, pero es preferible a dejar pudrirse algo en lo que has puesto tanto empeño.

Cuando se empieza un blog, uno piensa que seguirá con él eternamente, pero como todo sabemos, la vida da muchas vueltas. Como ocurre con las familias, las carreras, los negocios, etc., basta con un evento para cambiar de idea y prioridades. No tiene por qué ser una catástrofe; podría ser una oferta de trabajo u otro hijo. No serían muchos los que decidieran continuar escribiendo en blogs ante tales compromisos.

Tampoco hay que descartar el factor orgullo. No es lo mismo decir "lo intenté y fracasé" que "lo creé y lo vendí".

Sea cual sea su razón, vender un blog probablemente sea la estrategia económica de salida más prudente, comparada con no renovar el dominio y dejar que el blog se desvanezca.

¿Por qué comprar?

Podemos entender que alguien venda un blog; parece perfectamente razonable. Aunque en una transacción hay dos partes. ¿Por qué iba alguien a comprar un blog en vez de hacerse uno propio?

Las ventajas de comprar un blog

Comprar un blog tiene muchas ventajas frente a crear uno. La principal es el tiempo. Iniciar un blog y conseguir tener un tráfico y una audiencia requiere mucho tiempo y esfuerzo; una compra es probablemente el único atajo práctico disponible.

La compra proporciona una ventaja de salida, en especial si se va a introducir en un mercado muy competitivo. Aunque hay casos de blogs que se suben al carro muy rápidamente, ninguno de ellos puede competir con el efecto de adquirir la propiedad de un blog maduro.

Aumentar y atraer el tráfico, aun empleando las mejores técnicas, exige tiempo y habilidad. Puede comprar tráfico, a través de anuncios y consultorías de pago, pero puede que descubra que hay blogs existentes que ya poseen ese tráfico ideal y a un precio más asequible.

Cuando se compra un blog maduro, además de los activos obvios como el diseño, la programación y los suscriptores, también se está adquiriendo un concepto probado, cuya investigación ya ha sido realizada, y con una indicación del éxito que tendrá el blog.

También podría estar comprando un potencial. Como ocurre en los negocios inmobiliarios, la gente compra blogs para restaurarlos y venderlos por más dinero.

Una vez dicho todo esto, al igual que cuando vea las franquicias en línea, puede que le apetezca comprar un blog que predeciblemente le deje beneficios, en el que todo está ya hecho, de manera que sólo tenga que mantenerlo en funcionamiento y recoger las ganancias.

Las desventajas de comprar un blog

Aunque tiene muchas ventajas, la compra de un blog existente no siempre está exenta de problemas. Ante todo, obviamente, está el coste. Iniciar un blog es barato, y comprar uno puede ser caro. No piense en ello como en un gasto, sino como una inversión. Como en toda inversión, el valor puede subir o bajar, y la historia no es un indicador fiable de su rendimiento futuro. Incluso en el mejor de los tratos, puede que tenga que empezar de cero con la audiencia existente. Su evolución dependerá de su enfoque y de lo receptivos que sean sus lectores. Los suscriptores de un blog no siempre aceptan a los nuevos redactores; después de todo, ellos no se inscribieron para leer al nuevo, sino al anterior.

En estos casos, la lealtad es un regalo y una maldición; es difícil de ganar y fácil de perder. En muchos casos es buena idea conservar al anterior escritor (o escritores) lo suficiente como para hacer la transición o incluso más, si puede llegar a un acuerdo satisfactorio para ambas partes. Facilitará la adaptación de todos, no sólo de la audiencia.

En la mayoría de los acuerdos financieros existe un factor de riesgo. ¿Y si no funciona? ¿Qué ocurre si compra algo que es defectuoso o que no se corresponde con lo esperado? ¿Desaparecerá el vendedor con el dinero? Lo único que puede hacer es intentar mitigar los riesgos que identifique, pues estas inquietudes hacen que mucha gente deje de intentarlo.

La investigación es la clave. Examine el sitio y al vendedor. Al igual que un coche, un blog se compone de muchas partes que se mueven independientemente. Saber cómo funcionan es esencial, o al menos tener a mano un experto que pueda orientarle. Puede que a simple vista todo esté en orden y que encuentre problemas en la trastienda. Cuantas más opiniones consiga, mejor, pero no sabrá realmente qué ha comprado hasta que sea suyo.

Decidir si crear o comprar

La decisión de si crea o compra suele depender de una combinación de tres cosas:

- **Recursos:** ¿De cuánto tiempo y dinero dispone? Si tiene todo el tiempo del mundo, puede ahorrarse un dinero y hacer las cosas por su cuenta. Por el contrario, si dispone de un plazo temporal limitado, tendrá que gastar dinero para ahorrar tiempo.

- **Conocimientos:** ¿Posee la experiencia y los conocimientos suficientes para crear un blog de éxito? ¿Puede correr el riesgo de que salga mal? Los únicos blog consolidados son los blogs veteranos, y el único modo de hacerse con uno es comprarlo.
- **Control:** Aunque esto puede parecer un poco extraño, sí que tiene un gran impacto en la gente y de maneras bastante sorprendentes. Al comprar un sitio, heredará mucho más que bits y bytes. Su única opción de tener algo totalmente suyo es crearlo por su cuenta. Si adquiere un blog, estará comprando también su bagaje. Los compradores, al igual que cuando se compra una casa de segunda mano, deben estar preparados para realizar ciertas labores para poder sentirlo como propio, además de prepararse a las continuas comparaciones con el anterior propietario.

Comprar para vender

Como ya hemos mencionado, cada vez hay más blogueros profesionales que ven las ventas de blogs como un medio para obtener beneficios. Los ingresos pueden ser muy buenos, con el añadido de que muchos blogueros ponen más entusiasmo al principio que cuando están en modo mantenimiento, por lo que continuamente están trabajando y disfrutando con la restauración de nuevos blogs, deshaciéndose de estos cuando empiezan a perder fuelle.

La clave de hacer dinero con la compra de blogs es sencilla: Tener un mercado de probables compradores antes de comprar un blog para venderlo.

Puede que al principio esto no tenga mucho sentido, pero piense en la alternativa. ¿Desea invertir tiempo, dinero y esfuerzo en una compra sólo para averiguar que no hay compradores? Algo así sería garantía de fracaso en cualquier negocio. Debe estar seguro de que, si hace un buen trabajo, puede encontrar un comprador.

Antes de empezar con el juego de comprar y vender, revise periódicamente los sitios de compra y venta para ver qué tipos de blogs suelen funcionar bien y cuáles reciben menos ofertas. ¿Qué características destacaría de los ofertantes de su nicho? ¿Cómo y dónde se publicitan las ventas? Su nicho tendrá sus propias tendencias y hábitos; averigüe la fórmula ganadora para sus temáticas favoritas.

¿Cuáles son los posibles candidatos para comprar un blog?

- Los competidores.
- Las empresas de su nicho que estén buscando tráfico o crecer.
- Los blogueros que pretendan ampliar su audiencia.
- Los compradores que no tuvieron éxito en una subasta anterior.

Las tasas son un campo de minas en potencia, no dude en pedir consejo. De hecho, incluso aunque no existiera riesgo de meterse en problemas financieros, sería de utilidad tener a mano un contable que le pueda ayudar.

Cuando compre o venda para obtener beneficios, trate siempre con la persona que toma las decisiones, que generalmente será el CEO o el propietario. Cuando compre y venda blogs por negocio, no puede dejarse confundir por personas que simplemente están tanteando o que no tienen autoridad para cerrar el trato. El tiempo vale mucho dinero.

Consejo para blogueros de ProBlogger:
Adopte una mentalidad empresarial

La capacidad de determinar el valor de un blog es útil con independencia de que realmente desee dedicarse a la compraventa. Aquellos blogueros que se acostumbran a tener una visión empresarial tienden a tener un mayor éxito global, porque poseen la capacidad de ver sus esfuerzos en términos de generación de activos, seguidores y contenidos.

FUNDAMENTOS DE LA VENTA DE BLOGS

Las teorías básicas sobre la compra o la venta de blogs son muy parecidas a las de la compraventa inmobiliaria, aunque los blogs probablemente tengan más en común con vender un negocio o hacer una inversión, porque por un lado está el valor de la propiedad en sí, y por otro el beneficio potencial.

Tanto el comprador como el vendedor deben hacer un análisis del valor que recibirán con el blog. ¿Qué valor inherente posee en este momento? ¿Qué valor podría llegar a tener?

El valor puede residir en el dinero que genera, el contenido que ha sido creado, el tráfico que atrae, el valor de reventa y el potencial que posee.

En general, cuanto más antiguo sea el blog, más atractivo será, no sólo porque los sitios antiguos son mejor recibidos de cara al posicionamiento, sino porque un blog antiguo posee una historia. Se supone que un blog que lleva ahí un tiempo ha dado con una buena fórmula y cuya continuación implicará un menor riesgo. Teniendo en cuenta todos los altibajos de los motores de búsqueda y las reputaciones de los blogs, cualquier blog que haya pasado la prueba del tiempo y cuya audiencia haya aumentado, posee un valor añadido frente a los blogs nuevos, cuyos datos son aún desconocidos.

Al observar un blog antiguo, lo primero que hay que revisar son la estabilidad y las tendencias. En general, se mira la audiencia estable, el contenido y el crecimiento del tráfico. Sea precavido con las fluctuaciones; son señal de riesgo o comportamiento errático. También debe tener presente que, al igual que con los coches, un blog que ha tenido un propietario cuidadoso es una mejor apuesta que uno que ha cambiado de manos varias veces.

Los blogs jóvenes, de menos de, digamos, seis meses de antigüedad, pueden ser gangas, pero su ausencia de registros de seguimiento los convierte en algo más que un riesgo. Son más fáciles de presentar como una buena venta cuando en realidad tienen poca sustancia o valor. En un blog nuevo el valor se mide directamente por los activos, como el diseño, el dominio y la tecnología. El resto depende de lo que se haga con él.

Antes de meterse en negocios, tenga claro su plan global. ¿Lo va a comprar para quedárselo o para venderlo? ¿Busca unos ingresos mensuales, mejorar sus ingresos o simplemente hacer dinero con la propia venta? Cada variante exige tácticas diferentes; por ejemplo, si compra para vender por más dinero, deberá negociar más duramente para rebajar el precio de compra y estar absolutamente seguro de que incrementará su valor. Como se suele decir en estos casos, "el negocio se hace al comprar, no al vender".

En cualquier caso, no compre un blog cuando su valor está en alza; véndalo cuando alcance su máximo. Calcule hasta qué punto podría aumentar las ganancias con los valores añadidos de la compra y de la venta, pero no se deje cegar por esto si llegado el caso tiene que hacer un descuento.

Cuando se trate de grandes cantidades, considere la posibilidad de un fideicomiso. Aunque su deseo sea el de llegar a un acuerdo amistoso, ¿realmente desea correr el riesgo de perder un montón de dinero con alguien que no conoce?

El primer paso al comprar o vender es calcular cuánto vale el blog en cuestión.

Valoraciones

El modo de realizar una valoración es importante. Puede dar por hecho que la otra parte valorará el mismo blog de manera muy diferente. No sólo porque empleará un método diferente, sino porque las variaciones son subjetivas y dependen en gran medida del quién sea usted en el trato a cerrar. De igual modo, el mismo blog, adquirido para obtener un beneficio mensual recibirá un precio diferente que si se adquiriese sólo por el dominio, o para su restauración, etc.

No existe un método estándar para valorar cualquier sitio. Al igual que cuando se valora un negocio, el método de valoración más común se basa en un múltiplo de sus ingresos mensuales, teniendo en cuenta también otros factores.

Incluso aunque no desee vender en este preciso momento, aun así debería valorar su blog. Con frecuencia, los blogueros también quieren saberlo por cuestiones de ego; es un modo de puntuarse a sí mismos y compararse con otros blogueros de su nicho, como si de un deporte se tratase.

Audiencia

Las audiencias y los nichos son importantes en una valoración. Si su audiencia está muy dirigida y es muy valiosa, repleta de gente rica que gasta mucho, su blog alcanzará un precio mayor que si posee una pequeña audiencia no identificable de gente que lo quiere todo gratis. Los usuarios registrados, los suscriptores por correo, los foros muy frecuentados y los recuentos de RSS poseen un gran valor. De hecho, las listas de correo se pueden vender separadamente. Los usuarios fieles y participativos son los más deseados.

Incluso las audiencias de los nichos relacionados pueden variar en valor. Por ejemplo, los nichos "hacer dinero" y "escribir en blogs" podrían estar solapados, pero puede sacar más beneficios de gente que busca cómo hacer dinero que de la audiencia general de los blogs. Saber qué nichos reportarán mayores beneficios es importante a la hora de decidir qué blogs son una buena compra.

Contenido

Todos los blogs necesitan un buen contenido, es un axioma. Raramente vale la pena comprar un blog vacío, a menos que esté particularmente interesado en el dominio, la plantilla o alguna tecnología en especial. Si este es el caso, quizá fuera mejor contratar a freelance. Al comprar un blog, debe tener en cuenta el paquete completo; al vender, debe hacer dicho paquete lo más atractivo posible.

Un magnífico contenido cuesta mucho dinero independientemente de cómo se mire, en términos de talento, ideas, tiempo o dinero. Por tanto, el contenido debería tener un valor. Pero precisar una cantidad en dólares es muy difícil. Mi método consiste en tener en cuenta cuánto trabajo haría falta para crearlo y qué resultados obtiene actualmente el contenido; por ejemplo, un simple artículo del tipo "yo también" frente a algo verdaderamente destacable que acapare cientos de enlaces y visitantes.

Como hay muchos freelances que harían el trabajo por un bajo precio, con frecuencia el contenido es visto por algunos como una mercancía. Esto sencillamente no es cierto; un gran contenido tiene un valor mucho mayor, porque es lo que hace que se acerquen los visitantes al blog.

Si tiene que escoger entre cantidad y calidad, opte por lo segundo. Siempre me pregunto por qué los sitios que contienen millones de páginas generadas por ordenador (es decir, spam) siguen vendiendo; ¡1.000.000 x 0 € = 0 €!

Tan importante como la calidad es de dónde se obtenga el contenido. Debe saber que será el propietario de lo que compra. Ni se le ocurra comprar un blog si tiene la sospecha de que sus artículos son plagios, están generados automáticamente, o son gratuitos o han sido creados expresamente para una empresa o marca. Un blog lleno de contenido robado o duplicado es más un lastre que un valor activo.

Con frecuencia, con el entusiasmo de adquirir un blog, nos olvidamos de pensar de dónde procederá el nuevo contenido. ¿Puede usted escribir con facilidad sobre el tema? ¿Se quedarán los blogueros actuales? ¿Cuánto tendrá que pagarles? ¿Puede encontrar sustitutos para estos? Todas estas preguntas, y algunas más, deberán ser respondidas.

Posicionamiento

Las empresas compran con frecuencia blogs que están posicionados por frases que son importantes para ellas. Suele resultar más rentable que otras soluciones.

¿Cómo puede un blog de varios miles de euros ser más rentable que posicionar un sitio propio? Bueno, para empezar, los resultados son instantáneos y están garantizados, pero además, un experto en posicionamiento probablemente cobraría varios miles de euros en concepto de consultoría, y una cantidad superior por el mantenimiento del servicio. Si una empresa compra un blog que se posiciona en la misma página que su propio sitio, esta empresa tendrá entonces dos resultados de búsqueda, duplicando en consecuencia las probabilidades de un clic.

Aunque un posicionamiento en los primeros puestos de Google se suele considerar muy valioso, en su caso debe sopesar si un resultado como este le sirve de algo. En los círculos del SEO se habla de resultados de búsqueda y de resultados de búsqueda **valiosos**. Los posicionamientos valiosos suelen ser aquellos que, digamos, valen dinero. Un resultado que nunca obtiene clics no merece ser tenido en cuenta.

Jamás adquiera un blog porque "está posicionado para muchas frases". Esto carece de sentido a menos que dichas palabras clave estén entre las más buscadas. En el fondo, una frase de búsqueda sólo es útil si (A) la gente realmente busca por esas palabras clave y (B) se puede hacer algo valioso con el tráfico.

Tráfico

Un blog que atrae a miles de visitantes mes tras mes es extremadamente valioso. Se persigue tener un tráfico comprobable a largo plazo, que esté diversificado y proceda de una fuente fiable.

Lo ideal es tener un montón de tráfico, que provenga de muchas fuentes y que se reparta por varios lugares de su blog. Una única fuente o un único artículo salvador incrementan el riesgo de que su tráfico se pueda desvanecer o de que éste sea ficticio.

Fíjese en que no he dicho que sólo busque tráfico. Los vendedores inflarán las cifras de su tráfico. A veces el tráfico es un concepto confuso, debido al modo en que se generan las estadísticas o porque el tráfico se ha elevado artificialmente.

Necesita ver estadísticas fiables, no los análisis de los registros. Si las únicas estadísticas disponibles provienen de los registros, consiga una copia de ellos y analícelos por su cuenta. Si está en una negociación seria, pregunte si puede colocar su código de Google Analytics en el blog para ver el tráfico por sí mismo.

Los valores elevados puntuales (véase la figura 6.2) no deberían ser tenidos en cuenta en los cálculos. Con bastante frecuencia verá blogs que dicen tener "20.000 visitantes únicos en un mes", pero en realidad 19.990 de estos visitantes proceden directamente de Digg y nunca volverán a visitarle de nuevo, no se suscribirán ni realizarán ninguna otra acción. Este tipo de peticiones de página es interesante tenerlos en el futuro, pero los del pasado no deben ser tenidos en cuenta en la valoración. Si el blog se nutre de los visitantes, estos valores son calorías vacías.

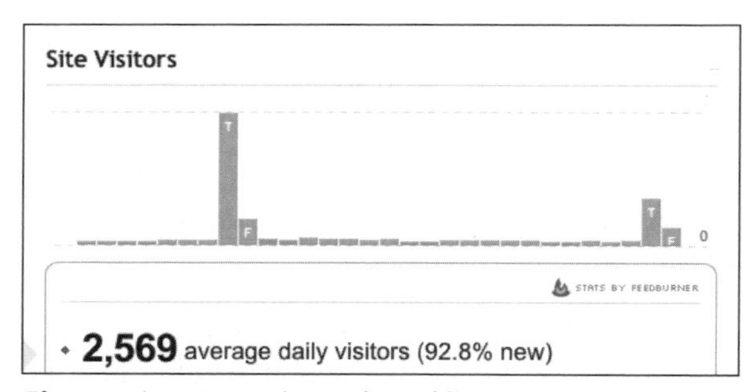

Figura 6.2. Los picos de tráfico puntuales pueden hacer que los blogs parezcan más populares.

Además de un tráfico continuo y diversificado, es recomendable buscar blogs con tráfico dirigido. El tráfico no dirigido posee menos opciones de monetización; de hecho, la principal opción son los anuncios basados en impresiones, mientras que existe un mundo de oportunidades cuando el tráfico es dirigido.

El tráfico de pago, aunque no sea tan atractivo como el gratuito, no es mala opción, dado que el blog seguirá siendo rentable y a cambio recibirá todos los detalles, acuerdos y permisos requeridos para que continúe.

Si se encuentra en el lado del vendedor, tenga esto presente. Los altos niveles de tráfico son un valor seguro, pero sólo si su comprador es capaz de creerle.

Enlaces entrantes

Muchos blogs comprados con fines de posicionamiento se adquieren simplemente por los enlaces entrantes que atraen. Un buen número de enlaces de calidad, que no procedan de granjas de enlaces y no sean ficticios ni comprados, tienen un valor considerable. Su objetivo es que haya enlaces que apunten tanto a las páginas más internas como a la principal, con textos variados y bien dirigidos. En definitiva, busque blogs que serían favorecidos por los motores de búsqueda.

Marca

La marca puede ser un arma de doble filo. Una marca respetada y famosa puede valer mucho dinero, pero los lectores podrían ser fieles al antiguo propietario, o la marca podría haber alcanzado su máximo, no admitiendo mejoras.

¿El blog es atractivo por su archivo de contenido útil, o por la personalidad del bloguero?

Si va a vender, cultive con cuidado la presencia de la marca; mucho antes de ponerlo a la venta, contrate a blogueros similares y despersonalice el blog. De este modo, el cambio afectará menos a su audiencia.

Beneficios

Si el blog muestra beneficios, eso será lo que llame más la atención. Los beneficios se pueden valorar de un modo obvio y directo, pero también son una medida aproximada de otros indicadores de calidad; después de todo, un blog sin visitantes o contenido no suele proporcionar muchas ganancias.

No tome como referencia los ingresos totales bajo ningún concepto; debe separar el beneficio para saber que no está contrayendo una deuda. Sólo los beneficios tienen sentido, a menos que quiera adquirir un blog lleno de deudas, costes de publicidad e incapaz de devolverle esos gastos.

Tras determinar el nivel de beneficio, debe determinar lo siguiente:

- ¿Es complicado obtener esos beneficios?
- ¿Podrá obtenerlos usted?
- ¿De dónde proceden?
- ¿Cómo han variado estos a lo largo del tiempo (obtenga cifras mensuales)?
- ¿Sería fácil aumentarlos?
- ¿Qué otros productos potenciales y fuentes de ingresos existen?

Al igual que con el tráfico, lo deseable es que los ingresos estén diversificados, sean fáciles de generar y no se basen en acuerdos especiales que se perderían con el cambio de propietario. Puestos a elegir entre un blog que genera dinero de varios canales publicitarios y sólo requiere una o dos horas de trabajo a la semana y un sitio de comercio electrónico con productos físicos de bajo margen enviados por un almacén, yo me quedaría con el primero.

Diseño

¿El diseño es el de partida, o está personalizado? ¿El aspecto es bueno? Un diseño pobre o gratuito no vale nada, mientras que un magnífico tema personalizado posee un valor que ha de considerarse separadamente del blog. Hay muchos diseñadores que consiguen cantidades considerables vendiendo buenos temas de blog.

El factor dominio

Hemos hablado de dominios en varias ocasiones, pero cuando vaya a valorar un dominio, lo que debe tener presente es cómo han ido las ventas de dominios a lo largo de los años para saber lo que está buscando. Los dominios se pueden vender por millones, aunque normalmente no es así. Para empezar, un `.com` es mejor que cualquier otra extensión, sin excepción. Después de la extensión está el nombre en sí, si es fácil recordarlo, convertirlo en marca y pronunciarlo. ¿Es pequeño, conciso, fácil de decir y de recordar? Los nombres más pequeños son también los más raros. Creo que todos los `.com` de tres letras están ya cogidos y también la mayoría de los de cuatro letras. He tenido suerte de conseguir el del nombre de mi empresa, de cuatro letras.

A muchos SEO les gusta que la palabra clave forme parte del dominio, por lo que los dominios más caros del mundo suelen corresponder a palabras del diccionario como `poker.com`, `business.com` y `sex.com`. Esto se debe a que estos dominios poseen un potencial para el tráfico generado al escribir directamente el nombre, además de no olvidarse, lo cual evita tener que hacer una gran promoción.

Calcular el valor de un blog

Los precios de venta de los blogs son imposibles de predecir con precisión. Pregunte a 10 blogueros diferentes por el valor del mismo sitio, y obtendrá 10 respuestas diferentes. El valor de un blog depende totalmente del comprador. Las valoraciones pueden verse afectadas por todo tipo de variables, desde por qué y por quién sea comprado, hasta los titulares de la economía de hoy, la disposición de ambas partes y lo borrachos que estén. Los blogs valen lo que alguien esté dispuesto a pagar; eso es todo lo que se puede decir con certidumbre. Mi método consiste en fijarme ante todo en las ganancias. Es fácil hallar un múltiplo para tomarlo como referencia:

Ganancias anuales = 12 x Ganancias mensuales repetibles

También se podría sumar a esto un cálculo del valor adicional de activos como el diseño, los suscriptores y cualquier tecnología interesante de la que vaya a convertirse en propietario. Si vale más del precio solicitado, podría comprarlo sólo para poder acceder a él, o si el blog no funciona podría recuperar parte del dinero con las ventas:

Activos = (Valor del Diseño + Valor de los Suscriptores + Valor de la Tecnología)

¿El valor añadido del blog reside en su contenido o en su tráfico? Algunos blogs se compran sólo por el tráfico, valorando cada visitante único mensual en algunos céntimos para calcular el valor total:

Valor añadido = (Valor del contenido representativo + 12 x Valor del Tráfico Gratuito Mensual)

Así pues, para su propio uso, podría subir la apuesta hasta un máximo de Ganancias + Activos + Valor añadido. Como digo, todo es subjetivo y nunca debería hacer una primera oferta elevada; considere este cálculo como su tope máximo.

Consejo para blogueros de ProBlogger

En las inversiones inmobiliarias se aconseja conocer bien el mercado. A las propiedades virtuales se les podría aplicar el mismo dicho. Lo que en las casas sería conocer la zona, el tipo de propiedad y parte de la gente implicada, en las ventas de blogs se correspondería con pasarse por los sitios populares de venta de blogs para ver los precios que piden, cuáles se venden y cuáles languidecen con cero ofertas. Esto le ayudará a desarrollar un sexto sentido para valorar blogs antes de perder tiempo haciendo números.

COMPRAR UN BLOG

Váyase de compras y observe algunas subastas (véase la figura 6.3) antes de empezar. Recuerde siempre que si va a comprar un blog que los detalles mostrados no son garantía de nada; nunca se fíe de la palabra de los propietarios. Nada de lo que se dice tiene por qué ser cierto, así que sea extremadamente cauto y desconfíe de cualquier afirmación.

Listings in Category: Established Sites For Sale | Lowest Price | Sort | blog | Search This Category

Listing Title	Seller	Created	▾ Price	Ends	Views
Giant Forum - AdminFusion.com - 6.7k Members - Well Respected Tremendous Opportunity to Own a Large Webmaster Forum	Lee D	12 Dec 07 14:00	$13,000	1d 2h	2,937
WPCustomization.com - PR5 Wordpress Coding Service, average $600 / month Established WordPress theming website, lots of clients, known for great service, HUGE POTENTIAL!	dan21328	16 Dec 07 18:06	$4,500	6h 34m	581
My online store of my scripts with earnings $800+ month earnings website	edpudol	12 Dec 07 09:23	$4,200	9d 22h	692
Established Men's Blog For Sale - Great Traffic, Revenue $432.31 In It's First Month Of Existence - Great Traffic - 120 Rss Subscribers	onemansgoal	15 Dec 07 21:15	$3,500	1d 10h	826
Growing MS Zune Community $700+/Month Profit. Top Ranked in Google. all you need is more review and contents to bring it next level.	searchfordeal	10 Dec 07 14:15	$3,500	5h 39m	652
BlogUpper.com for sale. Well promoted pr5 website for sale.	snipergrunge	9 Dec 07 12:10	$3,000	3d 1h	689
SweetHacks Technology Blog For Sale - Well Established Website PR3 Blog with over 800 Uniques Daily and $500+ Monthly Revenue	Xaasid	13 Dec 07 18:06	$2,500	7d 6h	757
Fast Growing PR4 Fashion and Celebrities Website 25'000 uniques/month and $120/month in Ad Revenues	yannisa	13 Dec 07 03:46	$2,100	6d 15h	560
For Sale: 2 year old PR5 dot com blog Earn $500 per month with an established blog	bobmeetsworld	Yesterday 10:57	$1,550	6d 0h	783
Pet Community Site Everything pet related commuity	noniman	12 Dec 07 01:18	$1,500	9d 14h	700

Figura 6.3. Un ejemplo de listado de subastas.

Haga todas las averiguaciones que pueda. ¿Por qué lo venden? Investigue al vendedor utilizando Google, `Archive.org` o herramientas para dominios como `whois.domaintools.com`, y observe si lo venden en más sitios.

No se deje llevar por el entusiasmo de una subasta. El ganador no gana nada; una subasta no deja de ser una compra, no es una competición. Algunas subastas tienen lugar muy rápido, mientras que otras llevan su tiempo. El único modo de garantizar una compra es pagar el precio "Cómprelo Ahora" (BIN, *Buy It Now*), lo que generalmente implica pagar un precio mucho mayor.

No tema contactar con el vendedor para hacerle preguntas. No se muestre tímido ni avergonzado; cuando se trata de dinero no hay pregunta estúpida.

Existe la creencia general de que el primero en decir un precio saldrá perdiendo, pero obviamente los vendedores no van a bajar su propio precio de salida. Es probable que acepten un precio inferior si se les ofrece.

Suba su oferta lentamente y en pequeños incrementos. Un error muy habitual en los principiantes es elevar innecesariamente sus ofertas, hacerlo demasiado rápido y en cantidades demasiado grandes.

Si la venta sale adelante, asegúrese de que su nombre figura en todo, que todo está documentado y que se le proporcionan todos los usuarios, claves, URL, licencias, etc., incluyendo lo siguiente:

- La transferencia del dominio.
- El nombre comercial.
- El alojamiento.
- La base de datos, las licencias del software y el código.
- Las suscripciones.
- La cuenta de Feedburner.
- Los suscriptores por correo.

No se incorpore nunca a una subasta a menos que tenga un plan. ¿Qué haría en caso de ganarla? Tenga en mente su precio límite y no lo rebase. Esté siempre preparado para dar marcha atrás si cree que las cosas no marchan correctamente.

Ejercicio

Localice algunos listados de blogs en venta, y observe cuáles despiertan su interés y cuáles no. Intente determinar los aspectos que le atraen o le repelen. Este conocimiento le será útil cuando decida dar el paso.

VENDER BLOGS

Cuando venda su blog necesitará conseguir el mayor precio justo que pueda alcanzar, a la par que no proporciona demasiada información privada que pudiera ser utilizada para hacerle cambiar de opinión. Es una línea difícil de seguir; lo mejor es fijarse en otras ventas de blogs exitosas.

En general, lo recomendable es ser abierto, educado y cooperador. Cualquier otra cosa hará que los compradores sospechen. Cualquier evasiva se interpretará como señal de peligro y como un riesgo, que en el mejor de los casos bajará su precio y en el peor arruinará completamente la venta.

Maximice el valor éticamente remodelando todos los apartados del blog, como si fuera a preparar su casa para venderla.

También son populares las cláusulas de no competencia; muchos compradores no desean comprar su blog sólo para verle intentar recuperar su audiencia una semana más tarde. Si un comprador solicita una cláusula de no competencia, podría utilizarla en las negociaciones, simplemente asegúrese de lo que firma. Tenga cuidado: Estas cosas pueden ser específicas y a corto plazo o tan vagas que puede que descubra que sus días como bloguero han terminado.

Cuando el precio es significativo, sopese recibir asistencia legal. Un libro de bolsillo o un tipo que conoce por Internet no pueden ser sustitutos de un buen abogado.

Si no le gusta la idea de vender o negociar, pregunte en los foros por gente experimentada en estos asuntos. En muchos casos, esto podría ser una solución válida para todas las partes.

Dónde vender su blog

La manera más popular de vender sitios de pequeño o medio tamaño es a través de las subastas de SitePoint o Digital Point (véase la figura 6.4). Estos puntos de reunión son populares y respetados. Sorprendentemente, eBay, aun siendo el mercado de subastas más popular del mundo, es un mal sitio para conseguir un buen precio por un blog como vendedor y está plagado de ofertas dudosas.

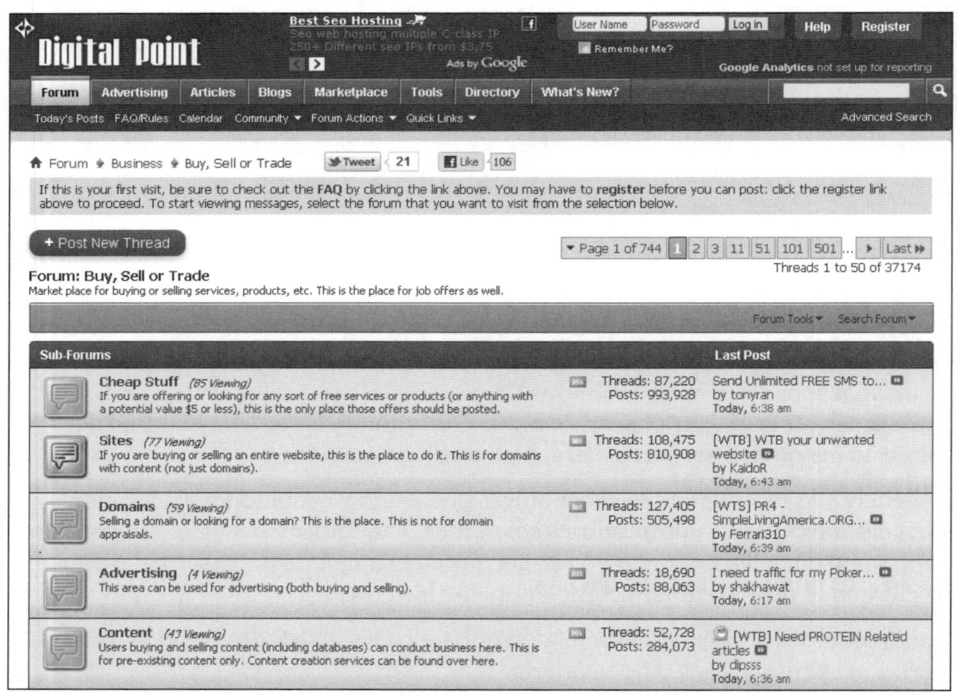

Figura 6.4. El mercado de Digital Point.

`Performancing.com` tiene un foro gratuito para ventas menores, como muchos otros blogs populares.

Las grandes cantidades se mueven en los acuerdos directos y privados. El boca a boca permite realizar ventas sin la presión del plazo temporal de las subastas, aunque por otro lado, estas negociaciones pueden ser largas y complicadas.

Siempre existe la opción de contactar directamente con un comprador potencial, al igual que pueden llegar ofertas como caídas del cielo. Si desea vender y está abierto a las ofertas casuales, no descarte comentarles a sus amistades y lectores que su blog está en el mercado.

Una opción que mucha gente no tiene en cuenta son las redes de blogs, que crecen en la mayoría de los casos por captación y que incluso podrían contratarle para su mantenimiento.

Ejercicio

Imagine que tiene 40.000 € para gastar en la compra de un conjunto de blogs. Acceda a los sitios listados anteriormente y cree un catálogo virtual, listando el nombre del blog y el precio al que estaría dispuesto a llegar. Revise las subastas cuando se hayan cerrado y compare las cifras con sus estimaciones. ¿Estaría satisfecho con sus compras?

`http://forums.digitalpoint.com/forumdisplay.php?f=52`

`http://marketplace.sitepoint.com`

`http://business.listings.ebay.com`

`http://flippa.com`

Cómo vender su blog

Cuando esté seguro de querer vender y tenga una idea de cuánto aceptaría, el siguiente paso es hacer un listado. La figura 6.5 muestra parte de los detalles de la subasta de Blog Herald.

Los detalles básicos que debe incluir además de los gráficos son los siguientes:

- El nombre y la URL del blog.
- La fecha de inicio.
- Una descripción.
- Los detalles del alojamiento y el software.
- La media mensual de visitantes únicos, las visitas por página.
- Los enlaces entrantes según Yahoo! y Google.

- Los beneficios mensuales.
- La frecuencia de publicación.
- La fecha límite de la subasta.
- El método de pago.
- El soporte que se ofrece.

Determine un precio "Cómprelo Ahora" para que los compradores puedan dar por terminada la subasta con una compra inmediata. No sería exagerado fijarlo en el cuádruple de los beneficios anuales. No tiene por qué determinarlo justo ahora. Las ofertas iniciales suelen equivaler a los beneficios anuales.

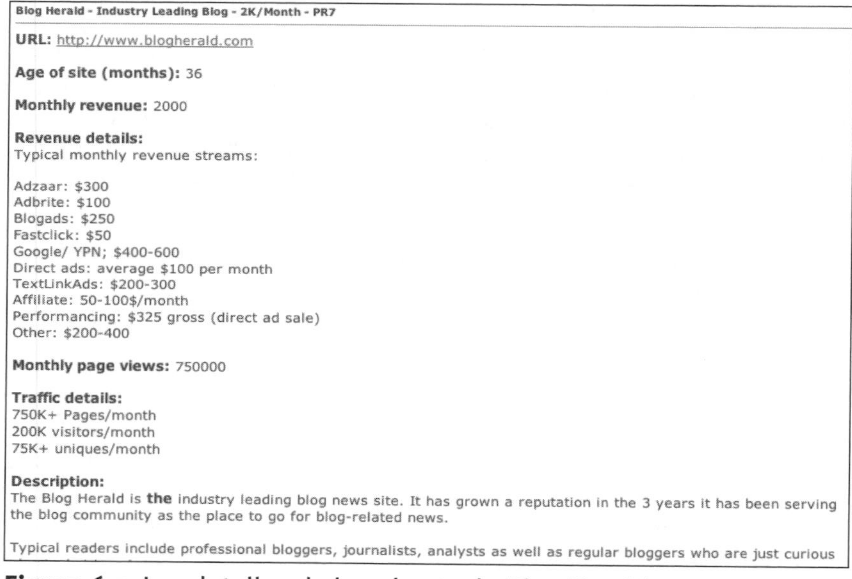

Blog Herald - Industry Leading Blog - 2K/Month - PR7

URL: http://www.blogherald.com

Age of site (months): 36

Monthly revenue: 2000

Revenue details:
Typical monthly revenue streams:

Adzaar: $300
Adbrite: $100
Blogads: $250
Fastclick: $50
Google/ YPN; $400-600
Direct ads: average $100 per month
TextLinkAds: $200-300
Affiliate: 50-100$/month
Performancing: $325 gross (direct ad sale)
Other: $200-400

Monthly page views: 750000

Traffic details:
750K+ Pages/month
200K visitors/month
75K+ uniques/month

Description:
The Blog Herald is **the** industry leading blog news site. It has grown a reputation in the 3 years it has been serving the blog community as the place to go for blog-related news.

Typical readers include professional bloggers, journalists, analysts as well as regular bloggers who are just curious

Figura 6.5. Los detalles de la subasta de Blog Herald muestran los ingresos y el tráfico.

Ejercicio

Cree un listado para su blog como si fuera a venderlo. ¿Puede reunir toda la información necesaria? Si fuera a vender su blog ahora, ¿es posible que alguno de los puntos indicados provocara sospechas o rechazo a algún comprador potencial?

Como muchas otras interacciones de Internet, las subastas de blogs atraen a los trolls y los provocadores. Debe tener paciencia, pues habrá gente que utilice su listado para su propia diversión y como excusa para insultar desde el anonimato.

Consejo para blogueros de ProBlogger: Eleve su valor

Valorar un blog es algo que no se debe hacer necesariamente sólo cuando está listo para ser vendido; es un buen hábito hacerlo cada pocos meses. Además, ver el aumento del valor de su blog puede ser increíblemente motivador. ¿El valor de su blog aumenta? ¿Cómo podría mejorarlo? ¿Qué aspectos le frenan y qué partes necesita trabajar más?

RESUMEN

Hemos cubierto mucho terreno en este capítulo. Las ventas de blogs pueden ser tan apasionantes como desquiciante, aunque en definitiva no dejan de ser simples ventas. Recuerde que un blog vale sólo lo que alguien esté dispuesto a pagar por él. Tanto el comprador como el vendedor deberían tener eso presente; de este modo ninguno de los dos se sentirá engañado.

Los ingresos son el método de valoración más fiable, pero no todos los blogs obtienen beneficios, por lo que entran en juego otros factores; la gente compra blogs por algo más que unos simples beneficios.

Tener éxito en la venta de blogs requiere buenas habilidades como vendedor y negociador, pero ante todo, si va a comprar o vender, tenga cuidado e intente identificar las estafas potenciales.

7. Marketing y promoción del blog

Una de las labores más complicadas de un bloguero es llegar a tener una audiencia de un tamaño decente partiendo desde cero. Aunque alguna gente parece conseguir sus objetivos sin esfuerzo y al instante, la mayoría de nosotros tendremos que trabajar para conseguir una audiencia.

El contenido es crítico; es la base de un buen blog, pero se necesita algo más que eso. Habrá gente que le diga que lo único que necesita es un buen contenido; lamentablemente, la realidad es un poco más compleja, por lo que no le recomendaría seguir la fórmula "créelo y ya llegarán". Como me gusta decir, el contenido es el rey, pero sin ropas elegantes y un ejército que lo respalde, ¿qué es un rey sino un tipo arrogante con una corona resplandeciente? El éxito de un blog viene dado por un magnífico contenido que se apoya en una sólida promoción; al menos hasta que su audiencia sea lo bastante grande como para que el boca a boca de sus lectores sea el que haga la promoción.

Un blog no va a darle mucho dinero si nadie lo lee. Tras escribir el contenido, la promoción es probablemente la segunda actividad más importante de un bloguero. Este capítulo le contará cómo puede atraer a los lectores y, algo igualmente importante, cómo conservarlos.

CONSEGUIR LECTORES

Como dije en la introducción, el contenido es crítico. Después de todo, es lo que busca la gente que llega a su blog. Podemos hablar de contenido diario o corriente, de contenido base o pilares, y de contenido emblemático.

Crear un contenido magnético

Cualquiera que haya visitado mi blog `chrisg.com` y se haya descargado gratuitamente mi libro electrónico estará familiarizado con el término contenido emblemático. En esencia, va mucho más allá de los meros artículos de un blog y funciona como un reclamo para su blog. Atrae a la gente, porque proporciona una fuente, una referencia; algo destacable de lo que vale la pena hablar. Al iniciar su blog, además de un contenido atractivo y emblemático, necesitará una buena base de contenido sólido y perenne. Darren llama "pilares" a estos artículos. Un artículo pilar es generalmente un artículo de tipo tutorial cuya finalidad es enseñar algo útil a su audiencia. Por lo general, no suelen tener más de 500 palabras e incluyen gran cantidad de consejos prácticos. Este tipo de artículo perenne tiene un atractivo a largo plazo, pues sigue estando vigente (no se trata de noticias ni depende del tiempo) y posee un valor y un conocimiento real. Cuantos más pilares tenga en su blog, mejor.

No pase por alto esta parte; todas las demás técnicas para obtener tráfico dependen de que tenga algo útil que visitar. Si lo piensa, ¿cómo va a atraer miles de visitantes con algo que está incompleto o que no posee valor? Conforme vaya creciendo, intente mantener su blog fresco, incluyendo artículos útiles. Aquí lo importante es demostrar a los visitantes que llegan por vez primera que su blog se actualiza con una frecuencia razonable, de modo que crean que si regresan más adelante, probablemente encontrarán algo nuevo y que vale la pena. Si creen que ya le han sacado todo el partido a su blog con la primera visita, no lo pondrán en favoritos ni se suscribirán a él.

No hace falta que produzca siempre un artículo al día, pero es importante que lo siga actualizando mientras su blog se pueda considerar nuevo. Cuando lleve cierto recorrido, seguirá necesitando mantener el contenido fresco, pero su audiencia fiel será más indulgente si baja el ritmo a unos pocos artículos por semana. Los primeros meses son críticos, de modo que cuanto más contenido pueda producir en este momento, mejor.

Consejo para blogueros de ProBlogger:
Fíjese en los artículos que le llaman la atención

La mitad de la batalla para que un blog levante el vuelo no está sólo en tener un contenido bueno; también ha de ser convincente. Por tanto, la próxima vez que se detenga a leer un artículo, pregúntese por qué lo hace. ¿Qué hay en ese artículo en particular para que le haya llamado la atención? ¿Cómo lo ha presentado el autor? Analice el titular, dónde lo ha encontrado, y sobre todo, cómo puede incorporar estos conocimientos a su labor como bloguero.

Relaciones entre blogs

El boca a boca es fundamental para promocionar blogs. Su blog ha de ser fácil de recordar y de difundir, empezando por el nombre del blog. Utilice un nombre de dominio adecuado si puede, porque cuanto más fácil de recordar sea su URL, más probable será que se acuerden de ella. Intente hacerse con un `.com` si puede, porque es el tipo de dominio más popular, y céntrese en dominios pequeños, pegadizos y fáciles de recordar, en vez de preocuparse por incluir las palabras clave correctas.

Veamos algunos de los blogs que conoce y que están entre sus favoritos: ProBlogger, CopyBlogger, BoingBoing (véase la figura 7.1), `chrisg.com`, etc. Estos blogs tienen nombres fáciles de recordar; no incluyen frases del tipo hagase-rico-con-su-blog.com.

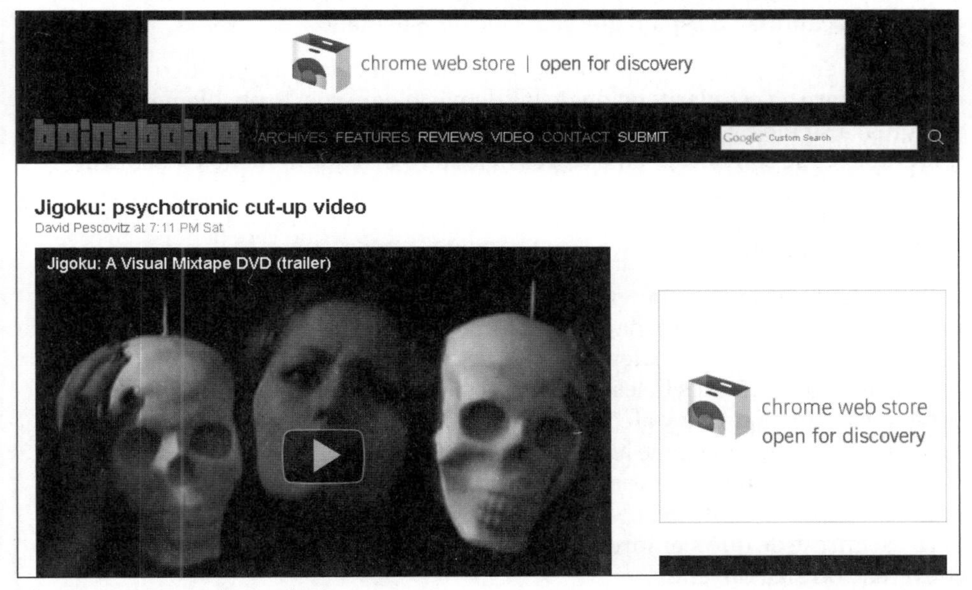

Figura 7.1. www.boingboing.net.

Comente y enlace generosamente

Tan pronto como tenga entre cinco y diez artículos de base, empiece a comentar en otros blogs. Su objetivo son los blogs que se centran en temas de nicho similares a los suyos, porque de este modo es más probable que los lectores estén interesados en su blog.

La mayoría de los sistemas para hacer comentarios en blogs le permiten enlazar su nombre con su blog al dejar un comentario. Así es cómo la gente llegará hasta su blog. Si es prolífico en sus comentarios y siempre tiene algo valioso que decir, la gente se interesará por leer más trabajos suyos y hará clic en el enlace para visitar su blog. No ponga enlaces en los comentarios a menos que tengan mucha relevancia en lo que se dice. En caso de duda, no los ponga, y así evitará que le etiqueten como spammer. Cuando sea más conocido, la gente le concederá el beneficio de la duda, pero al ser un recién llegado, sus motivos parecerán sospechosos.

Enlace generosamente y dentro del contexto a otros blogs en sus artículos. Si enlaza a determinados blogs, éstos le enlazarán a usted automáticamente empleando lo que se denomina *trackbacks*. Lo que hacen es dejar un resumen truncado de su artículo en la entrada del blog; es como si su software le dijera al blog de otro que ha escrito un artículo en el que se le menciona. Con frecuencia, los *trackbacks* aparecen como comentarios. No todos los blogueros los admiten, debido a la cantidad de spam que se recibe de este modo.

Aunque al enlazar otro blog no siempre recibirá un enlace automático a cambio, sí que llamará a veces la atención de los demás blogueros. Probablemente se acerquen a su blog y lo lean, ansiosos de saber qué ha escrito sobre ellos. Puede que entonces se conviertan en lectores fieles suyos, o que al menos le sigan el rastro. Con un poco de suerte, puede que con el tiempo escriban un artículo en el que enlazan a su blog, lo que le reportará nuevos lectores. Los enlaces provenientes de otros blogueros son la mejor fuente de nuevos suscriptores.

Anime a la gente a comentar en su blog todo lo que pueda, especialmente en los primeros días, en los que cada comentario es precioso. Uno de los modos más eficaces de convencer a alguien para que se convierta en un lector fiel es mostrar que ya hay otros lectores fieles que siguen su trabajo. Si ven que la gente hace comentarios inteligentes y afectuosos en su blog, deducirán que su contenido debe ser bueno porque tiene agradables lectores, de modo que se engancharán y querrán ver de qué va la cosa. Para animar a comentar, simplemente haga una pregunta en un artículo del blog o pida a sus amigos que dejen un comentario. Pero asegúrese de que siempre responde a los comentarios, para que la conversación siga fluyendo.

Ejercicio

¿Los blogs que frecuenta suelen enlazar a otros, o tienden a guardarse su audiencia como si se tratara de un tesoro? ¿Con qué frecuencia ve nombres de blogueros familiares en los comentarios del blog? Póngase como tarea comentar en un blog nuevo cada día y observe si esto tiene algún efecto positivo.

Redes y comunicación

Los blogs populares con frecuencia abordan proyectos e iniciativas (*blog carnival*) que le pueden reportar cierta visibilidad. Un *blog carnival* es un artículo de un blog que resume una colección de artículos de muchos blogs diferentes sobre un asunto concreto. La idea es recopilar el mejor contenido sobre un asunto en una semana concreta. Es habitual que muchos otros blogs enlacen a su vez al anfitrión del *carnival*, con lo que los blogueros cuyos artículos aparecen en el *carnival* se ven beneficiados con la llegada de nuevos lectores.

La presencia en las redes es crítica, por lo que deberá unirse a los foros, listas de correo y grupos de noticias de su nicho. No comente por el mero hecho de hacerlo; intente añadir algo a la conversación. Cuando los lectores lleguen hasta usted por un comentario, escríbales o enlace sus blogs, sígales, interactúe con ellos. Es un gesto de cortesía hacia los que llegan por primera vez, y también un buen modo de incrementar las probabilidades de que regresen. Interactúe con estos visitantes que curiosean su blog y establezca una buena relación con ellos; verá como le hacen publicidad.

Si puede hacerse amigo de blogueros cercanos a través de los comentarios y participando en foros, podrá pedirles que le enlacen. No les moleste; tenga en cuenta las necesidades de los otros blogueros. Sea inteligente, auténtico, útil y educado. En lugar de hacer egoístas peticiones a los blogueros, adelántese colocando su enlace de un modo que encaje con su estilo y el de su audiencia.

Añada una firma a sus correos. Es algo muy clásico, pero es un valor seguro; muchos blogueros lo hacen. Simplemente añada el nombre de dominio a su correo saliente. La mayoría de los programas de correo electrónico le permiten hacerlo de manera automática mediante una opción. No obstante, tenga cuidado con esto si no desea que todo el mundo que recibe correos suyos sepa de su blog.

Fomente las opciones de suscripción para animar a volver a los visitantes que llegan por primera vez; coloque su botón de RSS en la posición más destacada que pueda para que llame la atención de sus lectores. Hay una gran variedad de botones diferentes que puede poner a disposición de sus lectores para que puedan suscribirse a su blog a través de sus agregadores de noticias con un clic, puede que le valga la pena investigarlo. Ofrezca también la opción de suscribirse por correo electrónico a aquellos que no emplean lectores de RSS.

Ejercicio

Si no es miembro de una comunidad de blogueros, ahora es el momento de implicarse. Los foros de blogueros son una magnífica fuente de apoyo y asesoramiento técnico, además de un lugar excelente para establecer relaciones por la red.

Darren administra una comunidad de blogueros profesionales en `http://problogger.com` y Chris mantiene una comunidad de blogueros gratuita en `http://forum.authorityblogger.com`.

Solicitar enlaces a blogueros

Escribir correos a blogueros pidiéndoles que le enlacen puede funcionar, siempre que lo haga de una manera delicada y respetuosa. Si no es así, en el mejor de los casos, su correo será ignorado.

Los blogueros reciben cientos de correos de este tipo; cuanto más popular sea su blog, más recibirá. Si sus correos son numerosos y de mala calidad, le pueden reportar una maña reputación. Yo respondo a muy pocos, raramente lo hago.

Nunca, jamás emita una solicitud de enlace en su primera conversación con un bloguero. Conózcale antes. Tampoco se sorprenda si un bloguero al que creía conocer bien ignora sus peticiones de enlazamiento.

Sus opciones de éxito serán mucho mayores si sigue este consejo:

- **Sea humano:** Diríjase a los blogueros como a un ser humano; cuanto más automatizado parezca el correo electrónico, más probabilidades tendrá de acabar en la papelera.
- **Sea sincero:** No mienta y diga que es seguidor de toda la vida de un sitio que acaba de descubrir. Si realmente le gusta, dígale por qué. Mejor aún, dígale cómo podría mejorarlo (sin resultar insultante). Me entra la risa cada vez que alguien me dice que lleva años leyendo alguno de mis blogs de nueva creación. El engaño, por muy bienintencionado que sea, es un mal modo de empezar una conversación.
- **Sea específico:** Cuanto más difuso sea, más probable será que no le crea. Investigue un poco y aléjese de las generalidades.
- **Sea educado:** Tenga presente que los demás blogueros no le deben nada. Ellos ponen el trabajo, y la mayor parte de la ganancia es suya. La petición que envía es humilde, pero también debe parecerlo.
- **Sea interesante:** Tiene que vender su propuesta. La gente no va a enlazarle sólo porque se lo pida. Debe tener en cuenta que existe una gran probabilidad de que no lean su correo más allá de las primeras líneas.
- **Haga méritos:** Directo pero auténtico. ¿Escribiría sobre algo que a nadie le pareciera interesante o útil sólo porque alguien le ha suplicado? ¿Qué hay en su artículo que pueda resultar interesante, útil, valioso o entretenido al bloguero y su audiencia?

La clave está en ser interesante. ¿Qué podría parecerle interesante en su proposición al otro bloguero? "Que se lo he pedido" no es una respuesta válida. Hágase una idea de lo que le va a ofrecer. Debe tener una historia interesante sobre la que escribir y que pueda explicar, si se da el caso.

¿Abordaría una posible cita simplemente diciendo "vamos a echar un café"? ¿A que no enviaría una historia a un editor de un diario o una revista con un mensaje del tipo "escriba sobre mí, por favor; yo ya he escrito sobre usted"?

Tenga los pies en el suelo, sea específico, sea conciso sin resultar rudo, y manifieste sus ideas, posturas, o posibles beneficios. Le garantizo una reacción mucho más positiva.

Ejercicio

En las descargas del área de descargas del área de miembros de Problogger Book encontrará más consejos sobre la generación de tráfico:

`http://probloggerbook.com/bonus/`

Si no lo ha hecho aún, inscríbase aquí (asegúrese de escribir la dirección correctamente): `http://probloggerbook.com/?/register/bonus`.

Afortunadamente, enviar solicitudes de enlazamiento y escribir como invitado no son los únicos modos de recibir enlaces; hay una técnica muy popular, que consiste en escribir un artículo de cebo para enlaces.

LLAMAR LA ATENCIÓN MEDIANTE "CEBOS PARA ENLACES"

Los webmasters emplean el término "cebo para enlaces" (que viene del inglés *linkbait*) para describir varias prácticas, todas ellas encaminadas a generar enlaces entrantes hacia un sitio Web o un blog desde otros sitios.

En realidad se trata de un término difícil de definir, porque abarca varias prácticas diferentes, que van desde la creación de premios o concursos hasta la redacción de artículos que puedan irritar a blogueros de perfil alto con el objetivo de que ellos escriban sobre usted y le enlacen, o proporcionar herramientas útiles a otros blogueros o propietarios de sitios.

En realidad, el término "cebo para enlaces" es un término nuevo para designar algo antiguo. En Internet los enlaces son moneda de cambio, por lo que los webmasters llevan intentando conseguirlos desde los primeros días de la Web.

¿Son éticos los "cebos para enlaces"?

Con frecuencia se habla de los cebos para enlaces en términos negativos. Regularmente veo a la gente describir un artículo que han escrito otros o un comentario que les han dejado como "otro enlace cebo más".

Personalmente no me gusta el término "cebo para enlaces", en ciertos ambientes tiene connotaciones negativas. Da la sensación de que se intenta engañar o atrapar a un incauto para que haga algo que realmente no quiere hacer. Aunque esta definición encaja perfectamente con algunas formas de cebos para enlaces, no es justa con otras.

Existe un gran debate acerca del término y algunas de las prácticas que la gente dice que implica. Algunos defienden que sólo se trata de un subproducto del contenido de calidad, mientras que otros argumentan que muchas de las estrategias de los cebos para enlaces rozan el spam, y otros parecen hablar de ello como si fuera la solución a todos los problemas promocionales de la Web (cada vez más empresas de SEO ofrecen los cebos para enlaces entre sus servicios).

Acerca de si son buenos o malos, mi opinión depende del tipo de cebo para enlaces del que estemos hablando. Creo que algunas de las técnicas que utiliza la gente son buenas técnicas estándar de los blogs, mientras que otras cosas que hacen para buscar enlaces son destructivas para la comunidad de blogueros, y así lo manifiesto.

Como pasa con casi todo en la red, la gente utiliza técnicas de cebo para enlaces para propósitos buenos y útiles, pero también para otros dudosos y poco éticos. Creo que como blogueros, en este apartado todos tenemos que pensar en nuestras prioridades, valores e incluso intenciones.

Algunas sugerencias para los cebos para enlaces

Es imposible obtener una lista definitiva de lo que son estas prácticas, porque el único límite es su imaginación. En general, cada táctica emplea un gancho o tipo de novedad diferente. Utilice la siguiente lista de ideas para inspirarse:

- **Herramientas:** Cree una herramienta útil, divertida, interesante o atractiva.
- **Juegos:** Los juegos, las encuestas y los tests de personalidad del tipo "¿Qué personaje de Star Wars eres?" son populares entre los internautas desde hace tiempo.
- **Competiciones:** Organice un concurso o sorteo con un premio valioso.
- **Exclusivas:** Sea el primero en dar las noticias o probar algo nuevo.
- **Premios:** Cree un premio para su nicho.
- **Listas:** Liste los 10 mejores blogs de su nicho, o los mejores productos, etc. Inspírese en las revistas tradicionales, están llenas de listas. En la figura 7.2 puede observar cómo las listas siguen funcionando, pese a ciertos bajones.

Figura 7.2. Las listas siguen funcionando bien.

- **Estadísticas:** Haga una encuesta y publique los resultados. Uno de mis clientes solía hacer una encuesta global relativamente barata que le reportó una atención masiva.
- **Regale algo:** Ofrezca gratuitamente algo de valor.
- **Entrevistas:** Entreviste a una celebridad o a alguien popular en su nicho.
- **Recursos:** Cree la fuente o el recurso definitivos sobre un asunto.

¿Por qué no listo aquí elementos que suelen aparecer en los consejos sobre cebos para enlaces, como "controversia" y "ataque"? Bueno, he descubierto que aunque pueden proporcionar cierta atención a corto plazo, no valen la pena, simplemente por el daño que le harían a su reputación a largo plazo.

Los mejores cebos para enlaces recopilan enlaces poco a poco y crecen con el paso del tiempo. La próxima vez que añada algo a favoritos, párese a pensar por qué lo hizo y emplee este conocimiento para mejorar su siguiente cebo para enlaces.

Vamos a investigar en profundidad una técnica: las competiciones.

Ejercicio

Consulte Digg, Reddit y otras redes sociales de enlaces, y observe los titulares y las introducciones. Cuente cuántas listas del tipo "Los X más..." encuentra. Vea si puede aprovechar alguna idea para su nicho. ¿Qué titulares atraen sus clics y cuáles le dejan indiferente?

Iniciar concursos

Cada vez más blogueros emplean los concursos para aumentar la actividad en sus blogs. La figura 7.3 muestra un ejemplo de un concurso de ProBlogger.

Figura 7.3. Ejemplo de un concurso de ProBlogger.

Las dos ventajas de iniciar un concurso en su blog son:

- **Nuevos lectores:** Los concursos son potencialmente buenos para atraer nuevos lectores a su blog si dispone de un medio para publicitarlos.
- **Retener lectores:** La espera del resultado del concurso evitará que la gente se marche, porque entonces no sabrán si han ganado.

Los riesgos de los concursos son estos:

- **Distracción del contenido habitual:** Sus visitantes habituales no vienen a ver el contenido de la competición, por lo que se pueden sentir algo discriminados.

- **Pocos ganadores, muchos perdedores:** No puede premiar a todos los participantes, por lo que mucha gente se sentirá decepcionada.

Mi propia experiencia con los concursos me dice que, si los planifica bien, obtendrá todos los beneficios sin que las desventajas le afecten demasiado. Siga estos consejos:

- **Hágase de una audiencia:** Aunque los concursos pueden generar tráfico, deberá poseer una masa crítica de lectores antes de empezar, para garantizar la participación.
- **Identifique sus metas:** Antes de diseñar su concurso debe determinar por qué lo va a hacer. ¿Cuál es su objetivo? ¿Cómo evaluará el éxito del concurso? Cuando sepa sus objetivos podrá tomar mejores decisiones sobre el formato, los precios, la promoción y demás aspectos del concurso.
- **Muestre las cantidades:** Al elegir las cifras del concurso, tenga en cuenta que éstas deben:
  - **Ser relevantes:** Los importes deben estar a la altura de lo que ofrece en su blog.
  - **Valer la pena:** Cuanto mejores sean los precios, más expectación potencial despertarán.
  - **Ser asequibles:** No se gaste una cantidad cuyo valor no pueda recuperar.
- **Utilice patrocinadores:** Un modo de compartir la carga de un concurso es disponer de un patrocinador para ello. Si tiene una cantidad decente de lectores, es posible que encuentre un patrocinador con sólo preguntar.
- **Emplee enlaces de afiliados:** Para intentar cubrir el coste de los premios, escoja premios que pueda promocionar mediante programas de afiliados.
- **Los requisitos para la participación han de ser alcanzables:** No haga pasar por demasiados aros a los participantes.
- **Cuide también sus propios requisitos:** Los concursos pueden suponer un trabajo duro, y la gente espera ver juego limpio. No complique las cosas más de lo necesario.
- **Ofrezca algo a todos los participantes:** Un incentivo añadido podría ser ofrecer un enlace gratuito a todos los participantes, o cualquier otra cosa que les pudiera parecer divertido, aparte de la oportunidad de ganar un concurso.

- **Establezca una duración razonable:** No lo estire hasta el punto de que sus lectores se harten, aunque sí que debe darles el tiempo suficiente para entrar y correr la voz, así como a sus patrocinadores para que amorticen la inversión.
- **Promocione su concurso:** A menos que lo publicite, nadie sabrá que su concurso está teniendo lugar. Inicie su labor de promoción con sus propios lectores a través de su blog, y dígaselo también por adelantado a sus amigos blogueros. Los mejores concursos tienen un mecanismo para que los participantes corran la voz de algún modo; por ejemplo, podría ofrecer una participación adicional a aquellos que se lo cuenten a un amigo.

OPTIMIZACIÓN EN MOTORES DE BÚSQUEDA PARA BLOGS

La Web está llena de magníficos contenidos que nunca serán vistos más allá de la pantalla del autor. Esto se debe a que el escritor no ha logrado entender que con unas pocas modificaciones en el proceso de mantenimiento del blog puede aumentar su visibilidad en los motores de búsqueda.

Mucha gente ve el proceso de optimización como una sucia táctica propia de spammers, obteniendo los resultados deseados a base de trampas. No es este nuestro caso, simplemente. Como cualquier herramienta poderosa, se puede usar para el bien o para el mal. La función de los motores de búsqueda es proporcionar a los usuarios los resultados más relevantes. Un buen posicionamiento ayuda a ello; los malos llenan el motor de spam.

La gente me pregunta con frecuencia cómo he llegado al número uno en los resultados de una búsqueda determinada. Desafortunadamente, la única gente que tiene las respuestas definitivas trabaja para los propios motores de búsqueda, y no lo van a decir. Darren y yo hemos leído mucho sobre los mejores consejos que ofrece la gente sobre la materia, aunque casi todos los artículos son una especie de "apuesta ganadora".

El mejor consejo para la gente que desea optimizar sus blogs para los motores de búsqueda es que empiecen con un contenido de calidad sobre una materia específica y que luego lo modifiquen empleando los mejores hábitos actuales.

Aunque el SEO puede parecer complicado y misterioso, llegando a ser algo parecido a una obsesión para los propietarios de los blogs, debería saber que, con mayor o menor frecuencia, los blogs no vienen de serie tan preparados para su posicionamiento.

Las técnicas de optimización de motores de búsqueda se dividen en dos amplias categorías: las que se aplican fuera del sitio y las que se aplican dentro del sitio.

SEO fuera del sitio

Las técnicas que se aplican fuera del sitio son aquellas que afectan a factores externos al sitio que tienen un impacto en el posicionamiento del blog en los motores de búsqueda. Muchos de estos factores están fuera del control del bloguero, pero es bueno saber cuáles son. El factor externo al sitio más obvio y probablemente más potente son los enlaces entrantes.

Se suele coincidir en que los enlaces que apuntan a un sitio Web son uno de los modos más influyentes de cambiar los resultados de los motores de búsqueda. Para explicarlo del modo más sencillo posible, cada enlace hacia su sitio es visto por los motores de búsqueda como un voto de confianza hacia su sitio.

Los mejores enlaces entrantes:

- Vienen de sitios muy bien posicionados.
- Son relevantes en la materia tratada por su blog.
- Emplean palabras clave relevantes y buscadas.

Obviamente, no siempre se tiene control sobre quién nos enlaza, pero en los casos en que se tiene una cierta influencia sobre cómo se nos enlaza, éstos son los tipos de enlaces que hay que buscar.

Cómo generar enlaces entrantes de calidad

Entonces, ¿cómo se deben obtener estos enlaces tan deseados? Ahora ya sabe por qué hemos dedicado tanto espacio en el libro a hablar sobre el contenido emblemático y los cebos para enlaces. Veamos algunas ideas más para atraer enlaces de calidad:

- **Ofrezca un contenido valioso:** El mejor modo de recibir enlaces en su blog es escribir contenidos de calidad que la gente desee leer. Puede solicitar enlaces a otros, inscribirse en distintos programas de creación de enlaces, o incluso comprar enlaces de texto en otros sitios, pero el método más barato y probablemente más seguro de generar enlaces entrantes es de una manera natural y orgánica: dejando que otros enlacen nuestro contenido de calidad.
- **Anuncie su contenido a blogueros relevantes:** Aunque no es mi deseo animarle a enviar spam a otros blogueros para pedirles que le enlacen, sí que le recomiendo que, en caso de que escriba un artículo sobre un tema que sabe que puede interesar a otro bloguero, puede que valga la pena enviarle un corto y educado correo para ponerle en conocimiento de su artículo (consulte la sección anterior sobre relaciones entre blogueros).

- **Utilice directorios:** Un viejo modo de generar enlaces entrantes consiste en enviar sus enlaces a directorios. Sé de webmasters que aún confían ciegamente en los resultados de semejante estrategia, pero creo que los beneficios son pequeños, en el mejor de los casos.
- **Enlace sus blogs entre sí:** Debe tener un poco de cuidado con este método; si todos sus sitios están alojados en el mismo servidor, hay mucha gente que cree que los motores de búsqueda averiguarán lo que está haciendo y que su impacto se verá reducido.
- **Compre enlaces:** Muchos webmasters profesionales reservan una cierta cantidad para comprar enlaces a otros sitios relevantes y muy bien posicionados. Se trata de una estrategia de alto riesgo.
- **Intercambie enlaces:** Una antigua técnica consiste en intercambiar enlaces, con propuestas del tipo "tú me enlazas y yo te enlazo". Tenga cuidado con esto; esta técnica tiene una pobre reputación a causa de los mensajes masivos de los spammers que solicitan enlaces y otras malas prácticas.

SEO dentro del sitio

Las técnicas internas al sitio consisten en cosas que puede hacer en su propio blog para intentar mejorar su posicionamiento. Como ocurre con todas las técnicas de SEO, existen muchas tácticas y mucha especulación alrededor de cada una de ellas.

Identifique unas cuantas palabras clave para su artículo que le gustaría ver en los motores de búsqueda. ¿Qué escriben los visitantes en Google cuando buscan información acerca de los temas sobre los que escribe? La respuesta a esta pregunta le dará una pista sobre las palabras que es recomendable que repita a lo largo de su artículo varias veces.

Deberá esparcir estas palabras clave a lo largo de su artículo. Puede situar las palabras clave de las siguientes maneras, que tienen distintos niveles de influencia en los resultados de la búsqueda:

- En la URL.
- Títulos.
- Enlaces, entrantes y salientes.
- Texto en negrita.
- Etiquetas de encabezados (`H1`, `H2`, etc.).

- Etiquetas `alt` de las imágenes.
- A lo largo del texto del artículo, especialmente al principio, en las primeras frases.

Obviamente, si se pasa con las palabras clave echará a perder su artículo. No castigue a los lectores de su sitio sólo por posicionar este.

En efecto, las palabras clave pueden ser importantes para mejorar el posicionamiento en los motores de búsqueda, pero más importante es garantizar un contenido y un diseño de gran usabilidad y utilidad para los lectores. Un sitio saturado de palabras clave parecerá más propio de un spammer; no caiga en la tentación.

Utilice enlaces internos para incrementar la visibilidad de otros artículos de su blog y utilice buenas palabras clave en el texto de los enlaces. Asegúrese también de que todas las páginas enlazan a su vez a la página principal y a cualquier otra página importante de su sitio. Si escribe sobre un tema del que ya ha hablado con anterioridad, puede enlazar a dicho artículo o bien incluir un listado de artículos relevantes en el pie de su artículo. Observará que tanto Darren como yo enlazamos los artículos y categorías clave desde nuestras columnas y menús. Una de las consecuencias de tenerlos resaltados de este modo es que se han convertido en algunos de los artículos mejor posicionados, debido a que se les enlaza desde todas las páginas.

En general es recomendable que cada artículo se centre en un tema. Cuanto más concreto sea el tema de una página, mejor será desde el punto de vista de los motores de búsqueda. Puede que a veces se haya visto redactando largos artículos que acaban tratando sobre varios asuntos diferentes. Puede que estén relacionados de algún modo, pero si lo que persigue es el posicionamiento, sería preferible que los dividiera en artículos más pequeños y centrados.

Evite duplicar contenidos en la medida de lo posible. Google advierte a los editores en sus directrices sobre el hecho de que un mismo contenido aparezca en más de una página. Esto se aplica tanto a las páginas de su sitio como a las que están fuera de este. El motivo es que se trata de una técnica utilizada con frecuencia por los spammers para reproducir contenido en muchas páginas o para robar contenido de otros sitios. Hay un cierto debate sobre lo que se debería considerar contenido duplicado y lo que no, pero lo más aconsejable es tener mucho cuidado con el número de sitios en que aparece su contenido.

Utilice las herramientas para webmasters de Google (véase la figura 7.4) para comprobar si existe algún problema que hace que su sitio no se indexe correctamente. También puede ver las frases por las que está posicionado actualmente. El sitio Web es `http://www.google.com/webmasters/`.

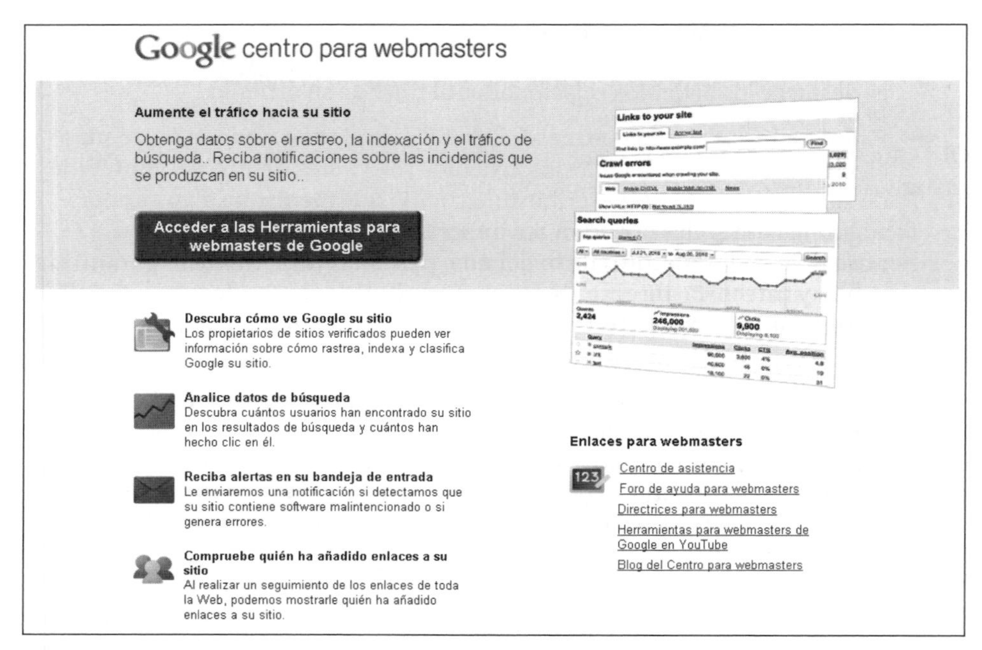

Figura 7.4. Las herramientas para webmasters de Google.

Ejercicio

Haga algunas búsquedas en Google por las frases que se utilizan en su nicho. ¿Quiénes salen en los primeros puestos? Eche un vistazo a las páginas que aparecen en los resultados. ¿Puede deducir por qué están mejor posicionadas que las demás?

INCREMENTE LAS PÁGINAS VISITADAS EN SU BLOG

Además de recibir nuevos visitantes, también es importante mantener el interés de estos. Tener a sus lectores enganchados para que regresen de nuevo es igual de importante que encontrar lectores nuevos.

Las estadísticas ponen de manifiesto que la media de páginas que visualiza un lector de un blog es de una página y media en cada visita. Cuantas más páginas lea un visitante típico, mejor será el trabajo que está haciendo. ¿Qué podemos hacer para que los lectores visiten más páginas? Vamos a analizar algunas posibilidades:

- **Destacar artículos relacionados:** Una de las prácticas más comunes de los blogueros para animar a los lectores a leer varias páginas en sus blogs es destacar los artículos relacionados al final de su artículo.
- **Enlazar los artículos entre sí:** Una técnica similar aunque quizá más efectiva consiste en resaltar los artículos relevantes dentro del contenido de sus artículos. Si va a escribir un artículo que menciona algo similar a alguna cosa sobre la que ya haya escrito, simplemente enlace a su artículo anterior desde dentro del nuevo artículo. Por ejemplo, he escrito sobre esta técnica anteriormente en un artículo sobre el aumento de la longevidad de los artículos clave.
- **Destaque los artículos y las categorías clave:** Destacar las páginas de categorías es otra útil técnica para animar a sus lectores a descubrir más artículos sobre el mismo asunto. También resulta útil nombrar explícitamente sobre qué trata cada una de sus categorías. Es decir, en vez de incluir sólo el nombre de la categoría al final del artículo, pruebe con algo como "descubra más artículos como éste en nuestra categoría XYZ".
- **Cree páginas recopilatorias:** Darren tiene una página en ProBlogger que lista sus 20 artículos más destacados, y también tenemos una lista llamada "lo mejor de" en `Performancing.com`. Muchos lectores primerizos utilizan estas páginas para descubrir contenidos a leer. Cada artículo que lee un visitante incrementa las oportunidades de que se conviertan en lectores fieles.
- **Escriba una serie de artículos:** Aunque debe tener cuidado al escribir series de artículos en de publicación periódica, éstas son un magnífico modo de hacer que los lectores vuelvan, y una vez terminadas hacen que naveguen por varias páginas del blog. No cree series con el único fin de incrementar el número de páginas visualizadas, obviamente (esto podría frustrar realmente a sus lectores), pero utilícelas para los artículos largos o cuando desee cubrir un tema extenso a lo largo del tiempo.
- **Utilice extractos:** Siempre existe un debate sobre esta cuestión. ¿Debería mostrar el artículo completo en su página de inicio y en los *feeds*, o sólo extractos? Si sólo tiene visible parte del contenido, el lector tendrá que hacer clic para verlo completo. Aunque esto puede beneficiar parcialmente a los *feeds*, también puede provocar que algunos lectores eliminen totalmente la suscripción de su blog. Es una situación en la que cada bloguero debe sopesar los costes y los beneficios.
- **Sea interactivo:** Un modo eficaz de hacer que los lectores regresen a su blog muchas veces al día es tener un blog con el que la gente desee interactuar. Liz Strauss tiene eventos de "micrófono abierto" en su área de comentarios de `Successful-blog.com` y esto ha hecho que el blog parezca menos una publicación y más una fiesta.

Cree una comunidad y reciba más comentarios

El estudio de usabilidad de Jakob Nielsen determina que el 90 por ciento de los usuarios de una comunidad en línea son gente que lee u observa pero que no participa de manera activa, con sólo un 9 por ciento de usuarios que contribuyen un poco y un 1 por ciento que contribuyen activamente.

Por tanto, el 1 por ciento de los usuarios de su blog está implicado activamente en este, y el resto son contribuyentes ocasionales en el mejor de los casos.

El estudio no trata sólo sobre blogs, por lo que las cifras reales podrían ser más o menos éstas, y no le quepa duda de que variarán en cierta forma en función del sitio, pero el principio sigue siendo válido. La amplia mayoría de lectores abandona un blog sin dejar un comentario ni contribuir en forma alguna.

Hasta cierto punto, así es cómo funciona esto y probablemente tengamos que resignarnos a ello; sin embargo, en lo que a comentarios se refiere hay algunos modos de estimular la interacción de los lectores:

- **Invite a comentar:** Los lectores normales de mi blog verán que con frecuencia invito a la gente a comentar, con una frase del tipo "¿Y usted qué opina? Comparta sus pensamientos en los comentarios". Cuando invito específicamente a comentar, la gente deja un número mayor de comentarios que cuando no lo hago. Recuerde que los nuevos lectores, no acostumbrados a los blogs, no siempre saben que existen los comentarios o cómo utilizarlos, y a veces hay gente que parece necesitar un permiso explícito.
- **Haga preguntas:** Incluir preguntas específicas en los artículos decididamente contribuye a obtener un mayor número de comentarios. He descubierto que incluir preguntas en mis encabezados es un modo particularmente eficaz de obtener una respuesta de los lectores, porque estoy situando la pregunta en sus mentes desde los primeros momentos del artículo.
- **Sea incompleto:** Si dice todo lo que hay que decir sobre un asunto, será menos probable que otros añadan sus opiniones, porque ya habrá cubierto lo que éstos podrían haber comentado. Aunque la idea tampoco consiste en dejar sin decir demasiadas cosas a propósito, escribir artículos de final abierto que dejen despacio para que los lectores también se sientan expertos es todo un arte.
- **Sea interactivo:** Si no tiene intención de utilizar su propia sección de comentarios, ¿por qué iban a hacerlo sus lectores? Si alguien le deja un comentario, respóndale. Conforme el blog crece esto es cada vez más difícil, pero es particularmente importante en los primeros días de su blog, porque así les muestra a sus lectores que sus comentarios son

valorados, creando una cultura de interactividad y dando la impresión a los demás lectores de que su sección de comentarios es un lugar activo y valorado. Conforme vaya creciendo la actividad en su sección de comentarios, quizá descubra que necesita ser menos activo en esta, porque los lectores comienzan a ocuparse de responder a las preguntas que surgen, creándose una comunidad; no obstante, no ignore del todo los hilos de los comentarios.

- **Sea humilde:** He descubierto que los lectores responden muy bien a los artículos en los que mostramos nuestros propios fallos, debilidades y carencias en nuestro conocimiento, frente a aquellos en los que nos mostramos como si supiéramos todo lo que hay que saber sobre un asunto. A la gente le atrae la humildad, y es más probable que respondan a esto que a un artículo escrito con el tono de alguien que podría responder con dureza a sus comentarios.
- **Sea cortés:** La humildad está relacionada con la cortesía. Hay ocasiones en las que, como bloguero, cometa algún error en sus artículos. Podría ser ortográfico o gramatical, o bien la clave de su argumento o algún otro aspecto de su blog. Cuando alguien le deje un comentario en el que pone en evidencia su fallo, el primer impulso es responderle airadamente, a la defensiva. Es bastante evidente la discusión que podría provocar esto. No resulta fácil, pero mostrarse cortés ante los comentarios, admitiendo sus errores, puede sacar de la inactividad a los observadores pasivos, haciéndoles sentirse un poco más seguros si dejan un comentario.
- **Recompense los comentarios:** Hay muchas maneras de reconocer y recompensar los buenos comentarios, que van desde escribir artículos con "el punto de vista del lector" hasta resaltar los comentarios particularmente buenos en otros artículos que escriba. Llevar la atención hacia los lectores que utilizan bien los comentarios les afirma y también hace que otros lectores utilicen correctamente su sección de comentarios.
- **Facilite la escritura de comentarios:** Todas las semanas dejo un buen número de comentarios en un montón de blogs, pero hay una situación en la que raramente dejo un comentario aunque el artículo lo merezca: se trata de esos blogs que me exigen registrarme antes de escribir un comentario. Quizá es que soy perezoso (bueno, de eso no cabe duda), o quizá sea que por dentro algo me dice que no es bueno dar detalles personales, pero cuando veo una sección de comentarios que requiere un registro previo, casi siempre (el 95 por ciento de las veces o más) abandono el blog sin dejar el comentario que quería hacer. Aunque comprendo totalmente el motivo de exigir el registro para dejar un comentario (que casi siempre es combatir el spam), hay algo en mi interior que se resiste a participar en este tipo de secciones de comentarios. El registro es un obstáculo para los lectores, que algunos estarán dispuestos a saltar pero

que para otros resultará un impedimento (esto también es aplicable a otros requisitos de la secciones de comentarios que se salen de lo normal). Haga que su sección de comentarios sea lo más sencilla y fácil de utilizar posible.

Consejo para blogueros de ProBlogger: Todo depende de la participación

El número de páginas visualizadas depende de la participación del lector. El interés que pueda suscitar a sus visitantes a lo largo del tiempo repercutirá directamente en la repetición de visitas y en un incremento de las páginas visualizadas. ¿Qué factores le hacen regresar a un blog en particular? ¿En qué ocasiones se ha sorprendido leyendo página tras página, y en cuáles ha echado un vistazo y no ha regresado jamás?

RESUMEN

Conseguir lectores y conservarlos pasa por tener un contenido brillante y ponerlo en conocimiento de la gente. Es una gran labor, que no debe ser subestimada. Afortunadamente, aunque al principio resulta bastante dura, se va haciendo más fácil conforme va cogiendo ritmo.

8. Su blog y los medios de comunicación social

Es imposible que la creciente agitación generada alrededor de los medios de comunicación social durante los últimos años le haya pasado desapercibida. La televisión y la prensa escrita parecen obsesionadas con Twitter y Facebook. ¿Se deberá esta fijación a que los medios tradicionales temen la competencia de los nuevos medios?

En su acepción más general, los medios de comunicación social abarcan todo tipo de sitio social o comunitario, aunque cada servicio o herramienta puede ser catalogado en otras categorías igualmente amplias.

Este capítulo le muestra cómo puede sacarle partido las distintas herramientas de estos medios.

QUÉ MEDIOS DE COMUNICACIÓN SOCIAL UTILIZAR

Esta decisión depende en gran medida de sus objetivos y de los sitios que suela frecuentar su audiencia. Los resultados que desee obtener determinarán qué herramientas utilizar y cómo interactuar con estas. Los servicios de los medios de comunicación social pueden reportarle tremendos beneficios a usted y a su blog, y son especialmente buenos para captar la atención y para la participación. La atención le servirá para aumentar sus enlaces y suscriptores, y con una mayor participación podrá profundizar en sus relaciones en las redes sociales y fidelizar más lectores.

La confusión surge cuando se intentan hacer distinciones, porque todos estos sitios comparten características, de manera que todos le permiten añadir amigos, o compartir y valorar contenidos.

En lo que a la promoción se refiere, los principales reclamos son sitios de marcadores sociales como Digg.com, StumbleUpon y del.icio.us, así como los sitios más populares para compartir contenidos multimedia, en particular

YouTube. Para las relaciones sociales son más indicados Twitter y Facebook, mientras que para relaciones empresariales o búsqueda de trabajo, LinkedIn resultaría más adecuado.

Marcadores sociales

Sabe que cuando encuentre un sitio útil que podría necesitar en el futuro, puede agregarlo a los marcadores de su navegador para acceder a él con facilidad. Los marcadores sociales empezaron como un medio para compartir los marcadores, para que en vez de tenerlos guardados en su ordenador pudiera acceder a estos desde cualquier parte, además de compartirlos con sus amigos. El más famoso de estos sitios probablemente sea `Delicious.com`, aunque su popularidad y su fama han disminuido, en beneficio de una nueva generación encabezada por `Digg.com`.

Cada uno de estos sitios posee el potencial de enviarle miles de visitantes, y todos ellos funcionan a través de miembros que envían contenido y permiten a otros juzgarlo o votarlo de algún modo. Hacerse popular en estos servicios se ha convertido en una obsesión para muchos blogueros, con lo que corren el riesgo de desatender a sus lectores normales.

Redes sociales

Por otro lado están los sitios de redes sociales, que establecen conexiones entre las personas y fomentan la comunicación.

En general, las características que se esperan de un sitio o servicio de red social son la posibilidad de crear un perfil personal, agregar gente ya conocida o que acaba de conocer a una listad e amigos, y enviar mensajes a sus contactos. Algunos servicios comenzaron como libretas de direcciones virtuales, pero una vez que los miembros comenzaron a interactuar, el atractivo rápidamente pasó a estar en las conversaciones y en los enlaces y contenidos compartidos.

Servicios para compartir contenidos multimedia

Este tipo de medio de comunicación social fusiona muchas de las características de los otros dos. Estos servicios comenzaron como un medio de almacenar y compartir el contenido propio para, por ejemplo, poder subir las fotografías de una boda a un álbum virtual para compartirlas con familiares que se encontraran en otro lugar del mundo.

Al igual que en las redes sociales, puede hacerse amigo de otros usuarios, y de manera muy similar a las de los sitios de marcadores sociales, con frecuencia existe un modo de valorar o comentar un contenido compartido por otros.

Todos los tipos de medios digitales tienen un servicio popular que les ofrece soporte, desde el vídeo hasta las presentaciones en PowerPoint, de modo que si tiene contenidos, habrá un lugar en el que pueda compartirlos.

CÓMO IMPLEMENTAR MEDIOS DE PROMOCIÓN SOCIAL

Los sitios de redes sociales pueden dirigirle tráfico, y algunos de los que comparten contenidos multimedia tienen un tremendo potencial, aunque para promoción los más eficaces son los servicios de marcadores sociales, que son los que veremos en primer lugar.

Para recibir tráfico de un sitio de marcadores sociales, su artículo debe ser enviado y recibir muchos votos. Esto funciona de manera diferente según el servicio. El tráfico de StumbleUpon viene a través de una barra de herramientas especial que puede descargar del propio sitio. En otros tendrá que registrarse, encontrar el artículo apropiado y hacer clic en el botón para marcarlo o votarlo.

Como hay tantos servicios, lo mejor será que nos centremos en unos pocos. Me voy a centrar principalmente en StumbleUpon, porque con sólo unos cuantos votos puede recibir un considerable flujo de visitantes. Tengo amigos que se centran en Digg porque, a pesar de que en éste es más difícil hacerse ver, cuando el contenido llega a portada se recibe un pico enorme de tráfico. La figura 8.1 muestra un gráfico de ejemplo del tráfico de uno de mis blogs.

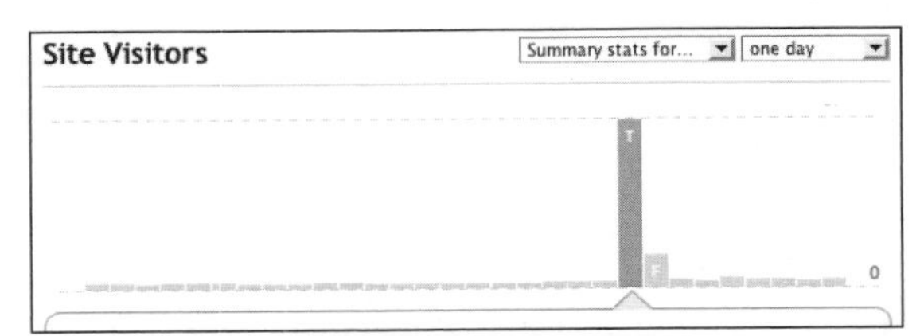

Figura 8.1. Un gráfico de ejemplo que muestra un pico en el tráfico.

Cómo escribir para tener éxito en las redes sociales

En general, los usuarios de los medios de comunicación social simplemente navegan. No están interesados en investigar demasiado si algo merece su atención, por lo que tendrá que seguir todos los puntos indicados en el capítulo 4:

- Escribir titulares que llamen la atención.
- Estructurar el texto en párrafos cortos e intensos.
- Utilice listas de boliches, imágenes y títulos secundarios para facilitar una lectura rápida.

- Destaque las citas interesantes y los puntos clave.
- Cree algo que la gente desee comentar, compartir, o que les haga regresar.

Los marcadores sociales como concurso de popularidad

Observará que el contenido que funciona bien en los marcadores sociales en general es muy similar al tipo de contenido que los blogueros tienden a enlazar, por lo que las tácticas probadas y comprobadas para los cebos para enlaces que vimos en el capítulo 7 funcionarán bien. Sólo tendrá que preocuparse por monitorizar el servicio en cuestión para ver qué tendencias son más populares y cuáles atraen menos votos. Haga también todos los amigos que pueda; necesitará sus votos para hacer que se vea su contenido.

La mayoría de estos sitios de marcadores le permiten enviar un enlace a sus amigos por si desean votarlo. Además puede añadir botones al propio artículo y, obviamente, enviarles un correo a sus amigos para que voten por él.

Tener éxito en las redes sociales es muy similar a conseguirlo en la universidad, en realidad. Es "agradable" es magnífico, pero ser popular y tener montones de amigos es mucho más importante. Obviamente, la cantidad de amigos no es el único criterio; no tiene sentido tener 10.000 fans que le ignoran, por lo que necesitará una cierta cantidad de contactos activamente implicados para conseguir cualquier tipo de avance. Hasta para hacer que una historia vea la luz en los sitios de marcadores sociales, necesita votos. Casi nadie busca en los rincones ocultos y oscuros de estos sitios, cuando continuamente aparecen nuevas y desconocidas historias. Las páginas populares captan toda la atención, seguidas por las páginas que se harán populares con un pequeño empujón.

Necesitará un puñado de amigos para arrancar. Puede ver cómo funciona esto en StumbleUpon en la figura 8.2. Aunque cuantos más mejor, no recurra al spam, o sufrirá las consecuencias, que pueden ir desde no conseguir beneficio alguno porque sus historias quedarán automáticamente enterradas de modo que su contenido será prácticamente invisible, hasta, en el peor de los casos, ser expulsado.

Tener algunos amigos que ya sean populares le ayudará; si se junta con gente bien relacionada, su trabajo recibirá más atención. Esto es así porque los sitios, como es el caso de Digg, clasifican a sus usuarios en función de su historial de uso. Si siguen un patrón de apoyo a los artículos de más éxito, sus votos ganarán más peso.

Sus amigos y fans más cercanos pueden ayudarle a dar a conocer su contenido, con lo que estarán haciendo la mayor parte del trabajo. De hecho, con eso puede bastar. No obstante, a veces la gente ve su contenido y lo "entierra"; en efecto, también puede recibir votos negativos.

Figura 8.2. La funcionalidad para compartir de StumbleUpon.

No se sorprenda si le ocurre esto si su artículo no tiene sustancia alguna. Lamentablemente, como en la universidad, existe una pandilla dominante con sus propios gustos y prejuicios. Ser popular no basta si se rompen ciertas reglas no escritas. Al no estar escritas pueden cambiar sin previo aviso y no puedo listarlas aquí, aunque cada comunidad ha desarrollado un carácter y un sesgo que se hace evidente al observar el contenido popular y los comentarios. Cuando vaya a utilizar algún medio de comunicación social, dese una vuelta por este y observe. Fíjese en qué es lo popular, a corto y a largo plazo, y qué es lo que llega a portada y luego desaparece igual de rápido.

Ejercicio

Monitorice `popurls.com` para ver qué tipos de historias son las más populares ahora mismo en los sitios de marcadores sociales. Preste especial atención a la estructura de los titulares y a las últimas tendencias.

La mayoría de la gente le dirá que lo que tradicionalmente ha funcionado en Digg es lo relacionado con temáticas *geek*. Aunque en cierta manera sigue siendo así, los nuevos estudios demográficos incluyen más población general. Los artículos relacionados con Apple, Linux, Xbox y demás siguen teniendo una gran aceptación. Los que peor funcionan son aquellos que incluyen información duplicada, o son excesivamente comerciales o auto-promocionales.

A diferencia de lo que ocurría en la universidad, los *geeks* más jóvenes están por encima de los veteranos. La recomendación clásica es tan aplicable aquí como en cualquier otro sitio: Piense en su audiencia. ¿Qué es lo que más disfrutan y valoran? ¿Cuál es el mejor modo de difundirlo? ¿Qué necesita para que les parezca atractivo?

Enviar tráfico desde YouTube

YouTube es el principal servicio para compartir vídeos, en el que puede encontrar clips de vídeo sobre cualquier cosa, desde gente rara hasta las últimas tendencias musicales. Si un instante ha sido captado en vídeo, tenga por seguro que alguien lo ha subido a YouTube, legalmente o no.

Gracias a la enorme popularidad de YouTube y su casi monopolio, sus vídeos pueden atraer a una cantidad enorme de personas. La figura 8.3 muestra un ejemplo de su gran visibilidad: Sólo una de las versiones del vídeo de la audición de Susan Boyle para *Britain's Got Talent* ha recibido, en el momento de escribir esto, más de 82 millones de visitas.

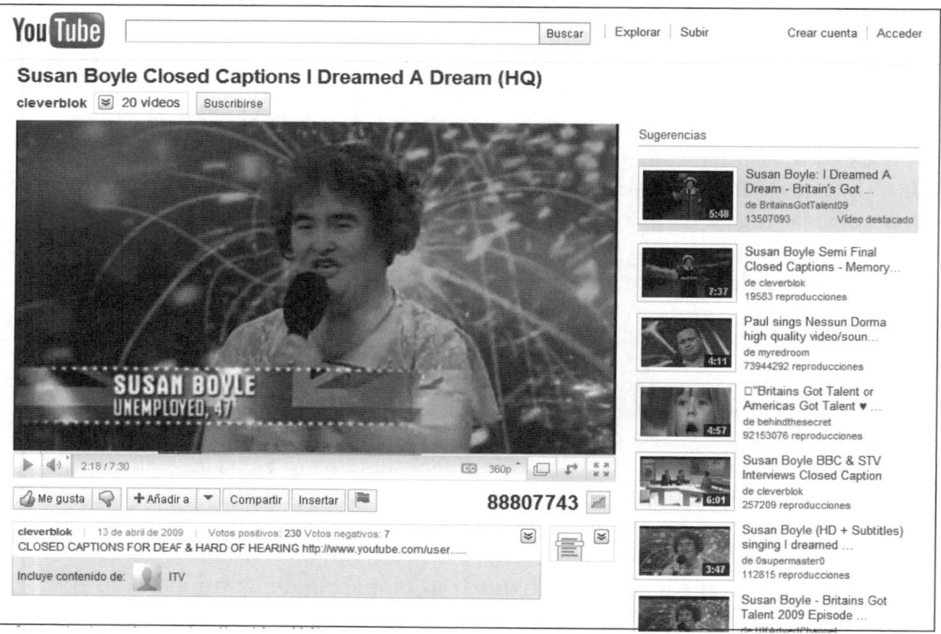

Figura 8.3. El vídeo de Susan Boyle.

Para obtener un poco de perspectiva, el programa de televisión real en el que se grabó el vídeo fue considerado un éxito porque su emisión tuvo más de 12 millones de espectadores.

YouTube se convirtió en un peso tan pesado que Google decidió dejar de intentar competir con éste y lo compró. Ahora está considerado, por su tráfico, el segundo mayor motor de búsqueda de Internet.

La gente busca en el propio Youtube, aunque Google también proporciona a los contenidos de YouTube un lugar preferente en sus resultados de búsqueda. Como puede observar en la figura 8.4, Google sitúa los resultados de Google News y YouTube por encima de los del sitio Web oficial de Susan Boyle.

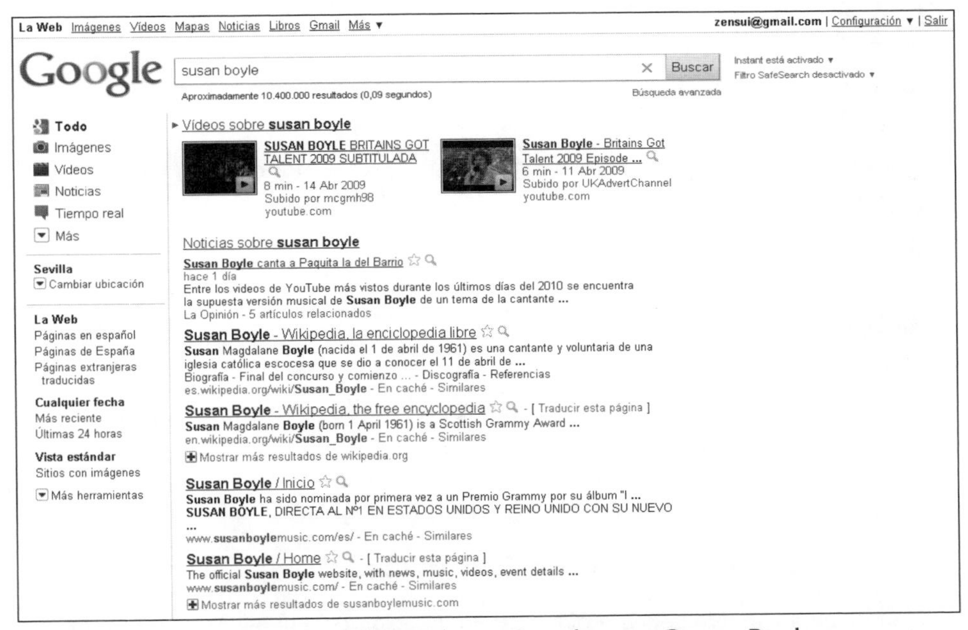

Figura 8.4. Resultados de búsqueda en Google para Susan Boyle.

Esto significa que si crea un vídeo popular con un nombre y una descripción que coincida con uno de los términos de búsqueda más buscados, es probable que atraiga buena parte de ese tráfico.

Otro modo de atraer más tráfico a través de YouTube es subir nuestro propio vídeo como respuesta a un vídeo popular, como muestra la figura 8.5, o hacer que aparezca como sugerencia, como muestra la figura 8.6. La gente que inspeccione su vídeo después de ver el vídeo original hará que su tráfico aumente.

Figura 8.5. Subir un vídeo de respuesta aumentará su tráfico.

Figura 8.6. Puede subir un vídeo como relacionado para captar parte del tráfico que recibe actualmente algún vídeo popular.

Consejo para blogueros de ProBlogger: Cree vídeos fácilmente

Cuando la mayoría de la gente piensa en la creación de vídeos, cree que va a necesitar conocimientos técnicos y un equipo caro, pero de hecho un vídeo para YouTube se puede crear fácilmente con Camtasia o cualquier otro software de grabación, un móvil barato, o una cámara de tipo Flip. El contenido es lo que importa, no deje que la carencia de un acabado propio de Hollywood le impida ser creativo.

Obviamente hasta ahora todo este tráfico tiene lugar en YouTube y no beneficia a su blog, de modo que si desea atraer tráfico gratuitamente en lugar de gastar dinero en anuncios de YouTube, deberá asegurarse de que su vídeo contiene la dirección Web de su blog. Inclúyalo como un título, una marca de agua o algún tipo de logo. Asegúrese de colocar el enlace a su blog al principio de la descripción, de modo que no quede cortado por el enlace de más información.

Ejercicio

Busque en YouTube vídeos de su nicho y cree un vídeo de respuesta con su propia toma. Intente aportar algunos consejos u opiniones valiosos de su cosecha a la par que muestra su reconocimiento al vídeo original.

Involucrar a sus seguidores con los medios de comunicación social

Los medios de comunicación social no sólo sirven para generar tráfico y llamar la atención. También pueden ser un medio clave para mantener el interés y la fidelidad de su audiencia, para crear su marca y para generar más oportunidades interesantes.

Mucha gente ahora ve Twitter y Facebook no sólo como lugares en los que seguir la pista de las últimas actividades de los amigos, sino también como un sustituto del tradicional *feed* de noticias de los blogs. Yo soy un ejemplo de esto. En mi momento álgido estaba suscrito a más de 800 *feeds* en Google Reader, pero ahora reviso los *feeds* ocasionalmente y confío en Twitter para la difusión de las primicias sobre los nichos que monitorizo.

No cabe duda de que muchos de sus lectores utilizarán estas herramientas sociales de un modo similar, por lo que vale la pena tener una cierta presencia y poseer cuentas con sus nombres de marca en Twitter y Facebook.

Además de compartir su titular más reciente, tendrá que interactuar con la gente y tratarles como seres humanos, en vez de como una simple fuente de clics. Esto implica tener conversaciones y compartir contenidos interesantes, independientemente de quién los haya creado, no sólo los suyos.

Cómo utilizar Twitter

Twitter fue originalmente un servicio que le permitía ofrecer "actualizaciones de estado" en forma de respuesta a la pregunta "¿qué está haciendo ahora?". Pero aunque la idea inicial era ésta, ahora recibe los siguientes usos:

- Chat.
- Obtener ayuda y respuestas.

- Compartir enlaces.
- Recibir actualizaciones de noticias.
- Hacer amigos y contactos en red.
- Marketing.
- Enviar y recibir recordatorios.
- Recibir alertas automatizadas.
- Seguir a celebridades.

En esencia, se ha convertido en una combinación de *feed* de noticias, concentrador de cotilleos y sistema de mensajería por texto.

Mi propia relación con Twitter ha mutado con el tiempo. Al principio no lo entendí, me parecía una pérdida de tiempo narcisista. Después le di otra oportunidad y me enamoré de él, pero lo más importante es que lo encontré muy útil.

Twitter está disponible desde su sitio Web, `Twitter.com`, mediante servicios de software de escritorio que trabajan con el sistema, y a través de versiones Web para teléfonos móviles. Puede conectar su dirección de correo, añadir su número de teléfono móvil y recibir los mensajes del sistema.

El cliente de Twitter más popular actualmente es `TweetDeck.com`, que está disponible para equipos Windows y Mac, y también para iPhone.

Acerca de los mensajes de Twitter (tweets)

Los mensajes de Twitter están limitados a 140 caracteres (considerando "carácter" la pulsación de una tecla del teclado, sea una letra del alfabeto, un espacio, un número, etc.). Esto hace que los mensajes de Twitter tengan un tamaño compatible con los dispositivos móviles.

Puede que piense que esta restricción en el tamaño es algo malo, pero forma parte de su atractivo una vez que se ha acostumbrado. En vez de páginas de largos y aburridos monólogos, recibirá un flujo de concisas ocurrencias y noticias breves. Este estilo de mensajes cortos ha llevado a utilizar el sistema conocido como "microblogging".

Aunque los competidores le permiten compartir imágenes y otros contenidos multimedia y en Twitter los mensajes son de texto plano, puede incluir enlaces en ellos siempre que los escriba completos.

Las direcciones Web largas se pasan automáticamente por un reductor de direcciones, que ahorra espacio en el mensaje pero que no da ninguna pista sobre el sitio al que nos llevará el enlace. Si va a compartir un enlace, asegúrese de proporcionar alguna información contextual. El servicio sigue en desarrollo; tanto tecnológicamente (con frecuencia está caído o no es fiable) como en el modo en que lo utiliza la gente.

Los tres grandes usos no-sociales para Twitter

Twitter no sirve sólo para chatear con los amigos. También ofrece auténticos beneficios a los blogueros profesionales:

- **Comunicación directa:** Siga a las personas más informadas de la industria y reciba las noticias antes que por cualquier otro canal. Yo he tenido acceso a información y cuentas beta por este medio, puede resultar muy útil.
- **Tráfico:** Deje un enlace con una buena introducción y verá cómo le llegan los clics y los comentarios. Haga un seguimiento de cuánta gente ha hecho clic en un enlace concreto utilizando un servicio como `Bit.ly`, que además de reducir la dirección Web a un tamaño más manejable también cuenta los clics y quién ha compartido el enlace. Puede recibir incluso más tráfico y seguidores gracias a los *retweets*, es decir, cuando otras personas compartan el mensaje que ha enviado, así que anime a la gente a hacer un *retweet* con sus enlaces.
- **Relaciones en la red:** Me he referido en muchas ocasiones a lo importante que son las relaciones en la red para los blogueros. Twitter es un punto de encuentro cada vez mayor para tal fin, con menos barreras y controladores. Asegúrese de enlazar a su cuenta de Twitter desde su blog y desde la firma de su correo para animar a la gente a seguirle.

Si desea más información sobre Twitter, visite el blog de Darren sobre Twitter, `twitip.com`.

Consejo para blogueros de ProBlogger: Utilice Tweetmeme para recibir más tráfico

Twitter siempre busca contenidos atractivos para compartir; ayúdele a compartir sus magníficos artículos utilizando el botón de TweetMeme.com en su blog. Lo que hace es añadir un botón a sus artículos que cuenta cuántas veces se ha hecho un *retweet* del artículo, además de permitir al visitante hacer clic para reenviárselo (*retweet*) a sus seguidores. Es una oportunidad única para generar tráfico viral.

Ejercicio

El mejor modo de entender las redes sociales es participar en ellas. Únase a los principales sitios de marcadores sociales y haga algunos amigos. Siga a Chris y Darren en Twitter:

```
http://twitter.com/chrisgarrett
http://twitter.com/problogger
```

Facebook

Aunque Facebook empezó como un entorno muy orientado a la juventud, su público se ha ampliado para incluir a casi todo el mundo. De hecho, con unos 350 millones de usuarios, de los que 35 millones acceden a diario, Facebook posee actualmente una media de usuarios diaria equiparable a la población de muchos países. De manera muy similar a un blog, Facebook le permite actualizar su cuenta con notas, vídeos, fotografías y enlaces, además de poder enviar "actualizaciones de estado" similares a las de Twitter, para contarles a sus amigos lo que está a punto de hacer.

Además de los perfiles de usuario normales, cualquiera que tenga una empresa o una enorme cantidad de seguidores puede crear también páginas para sus seguidores en Facebook. Con una cuenta normal de usuario existe un límite de 5.000 amigos, pero con las páginas para seguidores no hay límite alguno.

Para empezar en Facebook, incluya enlaces a su blog y a otras cuentas que posea en los medios de comunicación social, como Twitter. La clave para tener éxito en Facebook es compartir contenidos atractivos y animar a los amigos a que los compartan a su vez con sus amigos, para conseguir un efecto viral.

Consejo para blogueros de ProBlogger: Analice y fomente la participación en los medios de comunicación social

La participación de la audiencia en los medios de comunicación social es tan importante como lo es para su blog. Tener decenas de amigos y seguidores es bueno, pero debe hacer que se preocupen por lo que tiene que decir para poder obtener un beneficio real de todo ello. El primer paso es "escuchar". Observe cómo se comportan sus usuarios favoritos de estos medios para hacerse una idea de lo que resulta eficaz para incrementar y mantener la participación de sus contactos en los medios sociales.

RESUMEN

Los medios de comunicación social pueden ser amenos y repartir enormes beneficios para usted y para su blog, desde un incremento del tráfico hasta mayores oportunidades de generar ingresos, pero si no tiene cuidado puede absorber una gran cantidad de su tiempo y acabar con su productividad, en especial si se engancha a los chateos de Facebook o Twitter o se pasa horas y horas viendo vídeos divertidos de YouTube. Pero si consigue hacer que el trabajo con los medios de comunicación social formen parte de su metodología como bloguero y sabe qué es lo que tiene que hacer, su blog y sus cuentas en estos medios pueden complementarse y apoyarse entre sí, de una manera fantástica e inesperada.

9. Los secretos de los blogs de éxito

Si ha leído hasta aquí, podemos asumir sin temor a equivocarnos que le gustaría tener éxito como bloguero. Además de leer e investigar todo lo que pueda sobre las técnicas y las tácticas que conlleva la creación de un blog popular y rentable, un magnífico modo de triunfar en cualquier empresa es aprender de los mejores ejemplos.

Hoy día posee una ventaja que los pioneros no tuvieron. Los blogueros que llegaron antes que usted han cometido muchos errores y han aprendido qué es lo que funciona, ahorrándole muchos problemas. Este capítulo inspecciona algunos ejemplos de blogs y blogueros para ver cómo han logrado el éxito con sus blogs por sus propios medios.

SOBRE EL ÉXITO CON LOS BLOGS

¿A qué nos referimos cuando decimos "éxito"? Para cada bloguero será una cosa diferente. Podría tratarse de fama, dinero, ventas, la cantidad de seguidores, etc. Incluso aunque Darren y yo nos consideramos blogueros profesionales, ambos llegamos a serlo por nuestros propios caminos y tácticas. Ganamos dinero de maneras diferentes y tenemos objetivos diferentes. Cuando observe a los demás blogueros de este capítulo, podrá ver la diversidad que existe entre todos nosotros. Antes de embarcarse en un proyecto como bloguero, sería pertinente que descubriera qué significa la palabra éxito para usted.

Ejercicio

¿Tiene una idea clara de lo que desea alcanzar con sus blogs? Tómese un momento para analizar sus motivaciones; saber lo que espera conseguir como bloguero le ayudará a centrar sus esfuerzos sobre los puntos determinantes.

ANÁLISIS DE LOS PRINCIPALES BLOGS

Cuando observamos a los principales blogs y blogueros que nos rodean, encontramos ciertos elementos en común entre ellos, independientemente de su nicho, método de monetización y motivación. En particular, en su éxito parecen tener un peso específico la antigüedad, la frecuencia de publicación y los medios de comunicación social.

La antigüedad del blog

Darren hizo una investigación hace un tiempo y descubrió que la antigüedad media de la mayoría de los blogs de éxito era de 33,8 meses. La primera lección que podemos sacar de esto es que se trata de una carrera a largo plazo, aunque es posible tener éxito mucho más rápido con un poco de suerte y mucho trabajo duro.

La frecuencia de publicación

En la mayoría de los análisis de los principales blogs aparece una tendencia clara: los blogueros de más éxito publican más que el resto. Por lo general publican muchos artículos cortos al día. Parece existir una correlación definitiva entre el éxito y la frecuencia de publicación. Tiene sentido; cuantos más artículos publique, más ocasiones tendrá de que le enlacen y de que los lectores sepan de usted. A los motores de búsqueda también les gusta ver montones de contenidos frescos, dado que se alimentan de texto.

Esto puede desanimar a los blogueros que no puedan seguir un cierto ritmo. Debe tener en cuenta que en la mayoría de los blogs más populares escriben varios autores. Los blogs en equipo pueden mantener una alta velocidad de publicación, y con frecuencia esto es una necesidad si sus nichos cambian con rapidez, como le ocurre a `TechCrunch.com`. No obstante, últimamente hay cierto rechazo a una frecuencia de publicación demasiado elevada, tanto blogueros como lectores parecen preferir menos artículos pero mejor escritos y madurados. En muchas de las encuestas sobre por qué los lectores abandonan su suscripción, la respuesta "publican con demasiada frecuencia" suele ser de las más elegidas.

Ejercicio

¿Con qué frecuencia se actualiza su blog favorito? ¿Hay alguno que se actualice con demasiada frecuencia? ¿Ha observado si se salta o se ha dejado atrás algún artículo? ¿Espera con expectación el siguiente artículo de algún blog en particular?

El factor de los medios de comunicación social

Glen, de `Clickalite.com`, calculó que los 100 principales blogs habían sido historia de portada de `Digg.com` un total de 8.000 veces entre todos. Lo más sorprendente era que los cinco principales blogs sumaban 3.600 de esas veces, el 45 por ciento del total de la lista completa.

Queda claro que los blogs funcionan bien en los medios de comunicación social. Sin un análisis más profundo es imposible saber si se trata de una causa o una consecuencia, pero en cualquier caso la estadística es interesante.

Personalmente, creo que funciona en ambos sentidos; la popularidad de Digg y los otros sitios de comunicación social es tanto causa como efecto del éxito de un blog, además de una táctica que cultivo para todos los blogs en los que escribo.

Ingresos

La amplia mayoría de blogs de éxito llevan publicidad, y de ellos menos de la cuarta parte utilizan Google AdSense.

Es pertinente indicar que, cuando los blogs llegan a este tipo de escala, poseen el tráfico y la audiencia suficientes para cerrar acuerdos excelentes, incluso con Google.

Actualmente muchos de los principales blogs contratan a comerciales para la publicidad, utilizan los servicios de empresas especializadas como Federated Media, o forman parte de redes de blogs. Al llegar a un cierto tamaño, un blog se convierte en una empresa por definición, por lo que tiende a trabajar como tal, con jefes, editores y escritores.

El idioma del blog

Quizá crea que el inglés es el idioma dominante en el mundo de los blogs, pero en términos de volumen, el japonés se lleva la mayor parte con un 37 por ciento, siendo el inglés el segundo con un 36 por ciento. Aunque en lo que respecta al Top 100, el 80 por ciento están escritos en inglés.

Consejo para blogueros de ProBlogger: El auge de los demás idiomas

Se espera un gran crecimiento de los blogs que no utilizan el inglés en los próximos años. Los blogs se están volviendo cada vez más populares en todo el mundo. Si puede costearse o puede encontrar un compañero lingüista, quizá le valga la pena traducir sus artículos.

APRENDER DE LOS BLOGS DE NICHO

Ya hemos recomendado en este libro iniciar al menos un blog de nicho. Los blogueros de esta sección han creado unos blogs tan dirigidos e identificados con su temática que son los líderes y los abanderados en su materia.

- **Strobist.com:** Blog de fotografía que, en lugar de centrarse en todo lo que abarca ese gran nicho, escribe sólo sobre el uso de flashes pequeños y baratos. Gracias a ello, David Hobby ha podido tomarse un descanso en su trabajo como periodista fotográfico para ganar dinero organizando talleres y desarrollando su propia gama de productos.
- **CopyBlogger.com:** Hay muchos blogueros que escriben sobre ser bloguero. Brian Clark decidió abrir un blog sobre el arte y las técnicas de escritura. Al principio escribía por su cuenta, y después incorporó a algunos escritores invitados (entre los que se encontraba Chris). Actualmente, CopyBlogger es el blog más popular sobre la materia y ha sido utilizado como plataforma de lanzamiento para el curso en línea Teaching Sells de Brian.
- **Lifehacker.com:** La productividad es un tema recurrente en Internet, y Lifehacker es probablemente el caso más conocido. En lugar de escribir simplemente sobre la productividad en general, Lifehacker aborda la materia con un enfoque tecnológico, algo muy del gusto de su audiencia.
- **TheBudgetFashionista.com:** Hay muchos blogueros que escriben sobre moda. Kathryn Finney eligió este nicho y decidió crear un blog para mujeres reales con ingresos reales, con un estilo cálido y amable. Funcionó perfectamente; el blog tiene éxito, ha dado lugar a un libro y ha situado a Kathryn en el candelero, con apariciones en los medios y en televisión, en canales como NBC, CNN y Fox.

Consejo para blogueros de ProBlogger: Localice y analice los éxitos

Estar receptivo hacia las lecciones que le rodean es una buena costumbre. Puede aprender del éxito de otros de maneras a veces sorprendentes. No se trata sólo de observar a otros blogueros; lea biografías o analice a su celebridad o programa de televisión favorito. Resulta útil saber cómo ha llegado la gente adonde está para desarrollar una mentalidad ganadora.

Lecciones de blogueros de nicho

1. **Identificar un nicho poco poblado:** Es muy difícil llamar la atención en la blogosfera actual con un blog de fotografía. David Hobby escogió un micro-nicho, un nicho dentro de un nicho, y lo abordó de manera exhaustiva con su blog Strobist. Facilítese las cosas, y escoja un nicho en el que pueda marcar las diferencias.
2. **Defina el objetivo de su blog y plantéelo de un modo beneficioso:** Si un lector viese el objetivo de su blog y pensara "¿y qué?", habría fracasado. Asegúrese de que el objetivo de su blog ayuda al lector.
3. **Sea el dueño de sus pasos y manténgase centrado:** Sería muy fácil para cualquiera de estos blogs interpretar el crecimiento de su audiencia como un permiso para tratar cualquier tema que quisiera. Pueden hacerlo de vez en cuando, como las estrellas del pop que deciden sacar un álbum de jazz, pero abusar de ello podría suponer perder todo el valor y la calidad única que atrajo a sus lectores.

Ejercicio

De todos los blogs que conoce, ¿cuáles calificaría como blogs de nicho y cuales tendrían una aceptación más general? ¿Cambian su enfoque estos blogs dependiendo de la categoría?

APRENDER DE LOS PRINCIPALES BLOGS

Aunque puede ser interesante observar los 100 principales blogs como un todo, o por categorías, en realidad hay pocas similitudes entre ellos si obviamos los factores que detallamos anteriormente. Para aprender más, tendremos que analizarlos uno a uno.

ProBlogger

Es pertinente empezar por ProBlogger, dado que, al igual que este libro, trata sobre ser un profesional del blog.

Ya hemos tratado la historia del blog de Darren en este libro, por lo que no hace falta repetirla. Basta con decir que ProBlogger es el blog en el que piensa la gente cuando piensa en hacer dinero con los blogs.

¿Cómo convirtió Darren a su blog en la primera opción entre los blogueros?

Lecciones de ProBlogger

1. **Sea el primero:** Hubo una época en la que resultaba fácil obtener la ventaja de ser el primero. Obviamente, eso era cuando apenas nadie tenía capacidad de anticipación para empezar algo que no fuera un blog de diario personal. Ahora hay miles de blogs de todas las temáticas; ¿cómo podría ser el primero? Siendo diferente. Encuentre un hueco y rellénelo. Muestre las ventajas de ser el único en su clase.
2. **Poder de permanencia:** Resulta tentador oír hablar de ingresos de seis cifras, pero probablemente el exiguo cheque que recibe de Google sea desalentador. Darren no lo consiguió de la noche a la mañana. Algunos de mis mayores errores como bloguero han sido abandonar, parar y cambiar. No cometa mis errores, aprenda de Darren. ¡Sígale de cerca!
3. **Muestre su mejor material:** Ponga su material más popular donde todo el mundo pueda verlo. Cuando visite este blog, no se quedará sin artículos que leer. Después de que la gente lea su artículo, ¿sabe por dónde puede seguir?
4. **La comunidad cuenta:** Un magnífico contenido es importante, pero cuando el blog realmente despega es cuando se combina con una comunidad activa.
5. **Pruebe e investigue:** Los blogs son un objetivo en movimiento. Para averiguar qué funciona y qué tácticas fallan hace falta investigar, experimentar, probar y comentar. Con los años, Darren ha experimentado con nuevos desarrollos, desde `MyBlogLog.com` hasta `Chitika.com`. Asegúrese no quedarse anticuado.
6. **Privacidad:** No revele demasiada información personal. Decida lo que va a mantener en privado y no se salga de ese camino.
7. **Sea positivo:** No creo que nunca haya visto a Darren perder los papeles. Eso se traduce en una magnífica disposición y voluntad. Nunca escuchará una mala palabra sobre él. El éxito como bloguero depende tanto de las relaciones en la red como de escribir bien. ¿Qué piensa y dice la gente sobre usted?

TechCrunch

TechCrunch (véase la figura 9.1) es el sitio de noticias tecnológicas más popular. Mike Arrington ha llevado el blog desde la nada hasta convertirse en el sitio que puede determinar si funcionará una empresa tecnológica de nueva creación. Para él trabaja un equipo de escritores repartidos por el planeta, de manera que tiene una cobertura de casi 24 horas.

Figura 9.1. www.techcrunch.com.

Según Wikipedia, TechCrunch se lanzó en 2005, y cuando se escribió la edición anterior de este libro se decía que había ingresado un total de 150.000 € en un mes. Ahora, con más de tres millones de lectores habituales, estoy seguro de que la cantidad habrá aumentado incluso contando con el descenso global de la publicad. Los anunciantes se benefician tanto de la masiva cantidad de tráfico que genera el blog como del público tan concreto al que está dirigido.

Las exclusivas le han dado a TechCrunch el atractivo que posee actualmente. Tener línea directa con los informadores bien situados significa que ellos dan las noticias y todo el mundo les sigue. Esto es vital para un sitio de noticias, en lo que a autoridad y credibilidad se refiere. Las opiniones son magníficas, pero en todas partes la gente se sienta para informarse de las grandes novedades que afectan a su industria.

Se podría decir que TechCrunch basa su éxito en ser los primeros en recibir las noticias, pero también se beneficia de un ciclo que se retroalimenta; todo el mundo lee TechCrunch, por lo que la gente llega a ellos con nuevas historias, que tendrán un gran alcance, lo que deriva en que todo el mundo lee TechCrunch.

Además de los blogs, TechCrunch también ha lanzado TechCrunch20, unos seminarios en los que las empresas de nueva creación exponen sus productos y servicios; otro modo más de aumentar su presencia, credibilidad e ingresos.

Lecciones de TechCrunch

1. **Sea el primero en dar sus noticias:** Reciba las noticias lo antes posible, y publíquelas rápido.
2. **Cultive las relaciones en red:** Intente conocer a todos las personas influyentes de su nicho.
3. **Crezca:** El tamaño importa en las noticias; cuanta más gente le escuche, más noticias podrá servir.
4. **Sepa lo que vale:** Según vaya creciendo, no se corte a la hora de pedir más dinero a sus anunciantes.

Ejercicio

Acceda al área de descargas para miembros de Problogger Book para conocer los estudios de casos y las entrevistas más recientes a los blogueros de éxito:

`http://probloggerbook.com/bonus/`

Si aún no lo ha hecho, inscríbase aquí (asegúrese de escribir la dirección correctamente):

`http://probloggerbook.com/?/register/bonus`

Scobleizer

Robert Scoble es uno de los blogueros veteranos más conocidos y probablemente el mejor ejemplo que puedo ofrecer de un bloguero empleado. Aunque posee su propio blog popular, Scobleizer (véase la figura 9.2), sus ingresos vienen principalmente de la gente que le contrata como personalidad en el mundo del blog.

La mayoría de la gente escuchó hablar de Robert por vez primera cuando éste trabajaba para Microsoft como "evangelista". Su trabajo más reciente ha sido para la empresa de alojamiento Web Rackspace.

Su valía reside en sus conexiones; parece conocer personalmente a todos los grandes nombres. Este poderoso libro de direcciones ha sido la columna vertebral de su carrera como bloguero, especialmente por los vídeos en los que aparece entrevistando a gente interesante de la industria.

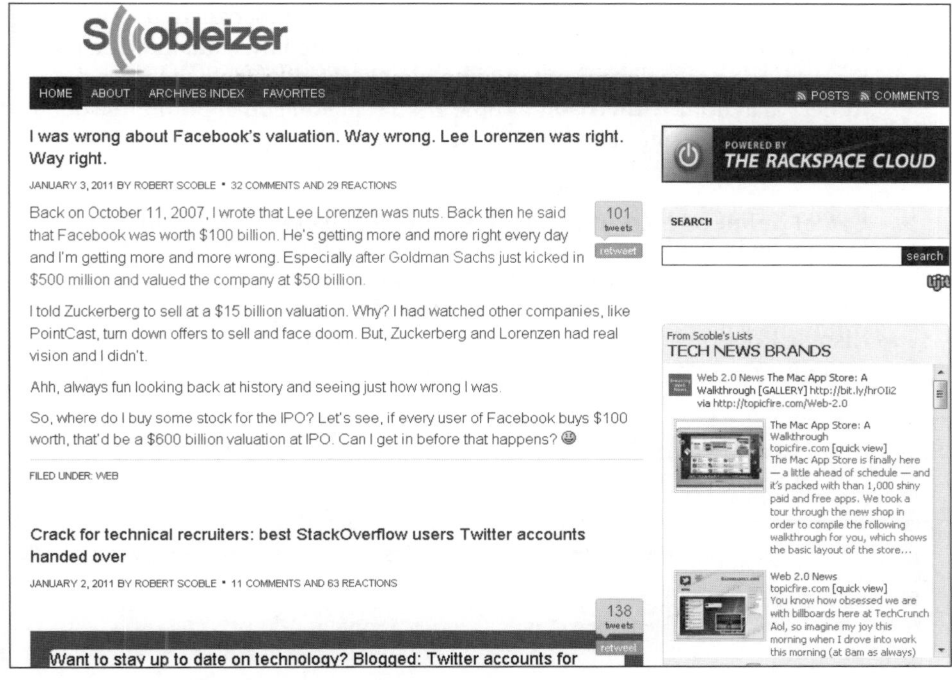

Figura 9.2. http://scobleizer.com.

Aunque obviamente hace un mayor uso de sus conexiones de alto perfil, también cultiva intensamente sus relaciones en las redes sociales, con un seguimiento masivo en Twitter y un enorme número de amigos en Facebook.

Lecciones de Robert Scoble

1. **Cultive las relaciones en red:** Intente ser un concentrador y un conector. Robert pasar tanto tiempo almorzando con personas influyentes como escribiendo en blogs y dando charlas. Ser bloguero tiene tanto que ver con las relaciones como con escribir. Para tener éxito, necesita un gran contenido, obviamente, pero también es de utilidad estar bien conectado.
2. **Los enlaces deben ser únicos e interesantes:** Enlace a contenidos estupendos que se les hayan pasado desapercibidos a los demás. Una de las grandes cosas del blog de enlaces de Robert es que no se limita a replicar las populares historias de Digg o del.icio.us; tiene sus propias fuentes. Si enlaza las viejas historias de siempre, la gente no necesitará que su *feed* sature su lector. Busque contenidos frescos y atractivos, y sus lectores le recompensarán.

3. **Nadie es perfecto:** Muchos blogueros intentan proyectar una imagen de perfección. Cuando se equivoque, admítalo; no hay nada malo en ello. De hecho, le podría hacer muchísimo bien. Creo que parte del éxito de Robert al ayudar a Microsoft a reparar su relación con el público se debió a la buena disposición de Robert para admitir los errores cometidos, tanto personales como de la compañía. Eso genera confianza.
4. **Pocos y frecuentes:** Hay días en los que Scoble publica muchas cosas. Darren ha hablado un par de veces sobre los peligros de malinterpretar la frecuencia de publicación. Muchos sienten cierto rechazo cuando aparecen demasiados contenidos demasiado rápido. Creo que en el caso de Robert esto funciona porque publica poco y con frecuencia. Los artículos pequeños, que se puedan leer en 15 segundos, funcionan bien.

Ejercicio

Robert Scoble debe una gran parte de su éxito a su enorme red de contactos. Haga un plan para aumentar sus contactos en las redes sociales a partir del día de hoy.

Four-Hour Work Week

Tim Ferriss irrumpió en la escena en 2007, aparentemente de la nada. Su impacto se debió a un blog rompedor (véase la figura 9.3), combinado con el lanzamiento de un libro. Tanto el blog como el libro alimentaron la expectación, lo que se tradujo en que en su momento fueran pocos los blogueros que no hubieran oído hablar de él.

Lecciones de Tim Ferriss

1. **Elabore cuidadosamente sus artículos:** A diferencia de muchos de los blogs aquí listados, Tim no publica varias veces al día. De hecho, pueden pasar varios días entre artículos. En una entrevista a ProBlogger explicó que esto le permitía elaborar más cuidadosamente sus artículos y perfilar sus titulares, además de dar así más tiempo para que se acumulen los comentarios.
2. **Diga lo que quiere decir:** Algunos de sus artículos son intencionadamente controvertidos. Dice que las historias más populares siempre polarizan a la gente, por lo que intenta posicionarse fuertemente en un lado u otro de una cuestión.

3. **Habla de temas que todo el mundo puede comentar:** Tim sugiere reflexionar sobre asuntos para los que pueda imaginar a sus padres, hermanos o amigos compartiendo sus opiniones.

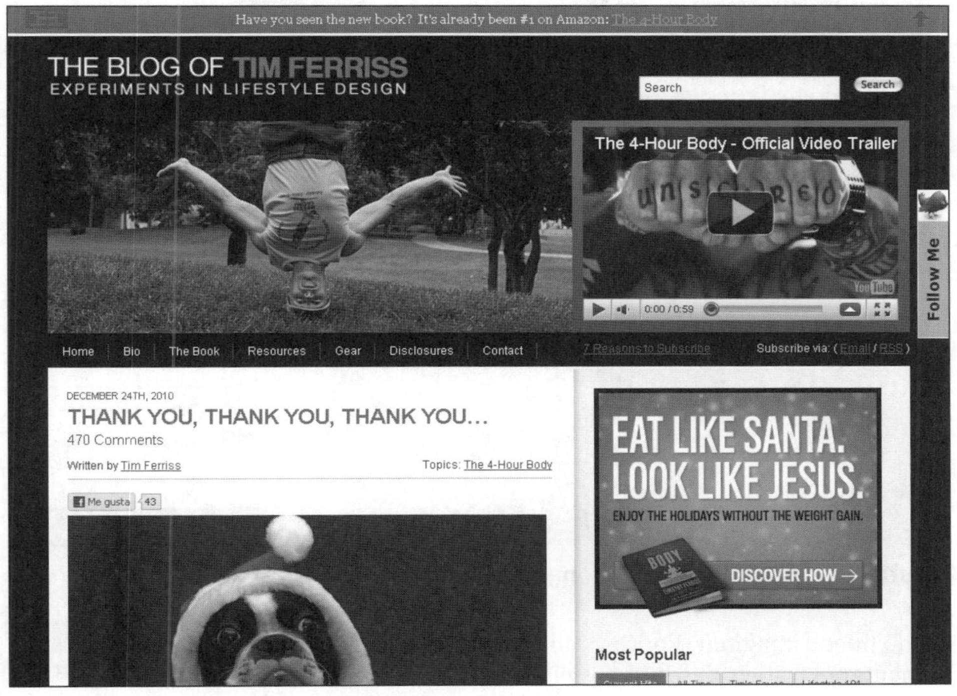

Figura 9.3. www.thefourhourworkweek.com/blog.

PopCrunch

Sin relación alguna con TechCrunch, PopCrunch (véase la figura 9.4) es un blog orientado a un nicho tan tremendamente competitivo como las celebridades, y que le ofrece todos los cotilleos de ese mundo en lo que sería una versión para la Web de las revistas de famosos de los quioscos.

La clave de PopCrunch, como pasa con TechCrunch, está en ser el primero en contar las historias. Los ingresos del blog proceden totalmente de elevar su tráfico con publicidad. Mientras que otros blogs utilizan el tráfico como reclamo para los anunciantes, junto a su marca y reputación, PopCrunch generalmente sirve anuncios CPM, basados en impresiones, de manera que cuantas más páginas se visionan, más dinero genera. Esto se amortiza porque genera unos ingresos de cinco cifras al mes, que se convierten en muchos más cuando obtiene la exclusiva de una gran historia.

Figura 9.4. www.popcrunch.com.

Como puede imaginar, PopCrunch utiliza todos los trucos del manual para aumentar el tráfico, desde el posicionamiento hasta un trabajo serio en los medios de comunicación social. Recientemente ha estado experimentando con el vídeo, creando PopCrunch TV.

Siguiendo las lecciones de crecimiento de TechCrunch, Ryan Caldwell, fundador de PopCrunch, se enorgullece de destinar de nuevo al blog cada céntimo ingresado, para permitir el crecimiento de este.

Lecciones de PopCrunch

1. **Aprenda e implemente:** Haga sus investigaciones, averigüe qué es lo que funciona, utilice lo que ha aprendido de otros nichos en el suyo.
2. **Mezcle medios:** Pruebe con el vídeo, el audio; observe cómo reacciona su audiencia.
3. **Publicítese:** En efecto, el contenido es lo que manda, pero ¿de qué serviría sin el tráfico? Lleve tráfico a su blog de todos los modos que pueda. Sólo cuando realmente alcance la cima podrá dejar totalmente de publicitarse.

Ejercicio

Observe su nicho y sus blogs favoritos. ¿Podría hacer el mismo ejercicio y aprender algo de cada uno de ellos?

RESUMEN

Observando los distintos estilos de escritura, tácticas de promoción y recursos de la gente para obtener beneficios con su labor como bloguero, se puede decir que hay un método para cada persona. Hemos visto un famoso bloguero a sueldo, blogueros que escriben libros, gente que gana dinero con los anuncios, y otros que lo obtienen de impartir cursos. Queda claro que no hay un único "modo correcto"; el único límite para el éxito es su imaginación.

Aunque la actividad como bloguero puede ser muy agradable, para la mayoría de la gente supone un medio para llegar a un fin. Como ha podido ver en este capítulo, la manera de abordarlo puede ser tan diversa como la gente que participa en ello. Esperamos que pueda sacar algunas ideas inspiradoras de estas historias sobre blogueros de éxito.

10. Crear algo que valga la pena

Por fin se decide a iniciar un blog. Su deseo es hacer dinero, o quizá tenga otro objetivo en mente. Lo hace por sí mismo. Esto es tan bueno como malo, pero para alcanzar realmente estos objetivos, tendrá que hacerse con lectores, generar tráfico y recibir enlaces. Básicamente, para conseguir sus objetivos, deberá servir a una audiencia.

Pero ¿qué significa "servir a una audiencia"? Pues antes de dar prioridad a su publicidad, sus afiliados y sus ventas, deberá darles a los lectores lo que desean. Esto significa crear algo útil, algo de lo que la gente desee hablar (favorablemente).

En esto consiste el auténtico truco, la diferencia entre ganar y perder, de eso trata este capítulo.

CONOZCA A SU AUDIENCIA

Antes de poder servir a su audiencia, deberá saber quiénes son. Tendrá que entender realmente a sus lectores, investigando y planificando antes del lanzamiento, y hablando con ellos después de este.

Si ya forma parte de una comunidad en la que trabaja, partirá con cierta ventaja; sin embargo, tendrá que decidir quiénes son sus lectores objetivo y qué les gustaría ver a estos. Tenga en cuenta lo siguiente:

- ¿Qué nombre reciben?
- ¿Quiénes creen que son?
- ¿Quiénes son realmente?
- ¿Quiénes quieren ser?
- ¿Quién les gusta?
- ¿Quién no les gusta?

- ¿A qué grupo se parecen?
- ¿Con quién no se identifican?
- ¿Qué creencias tienen?
- ¿Dónde viven?
- ¿Dónde trabajan?
- ¿Dónde estudian?
- ¿Dónde quieren estar?
- ¿Qué necesidades tienen?
- ¿Qué edad tienen?
- ¿Se comportan como jóvenes?
- ¿Son muy conservadores?
- ¿Qué ambiciones les mueven?
- ¿Qué quieren y qué necesitan?
- ¿Con qué disfrutan?
- ¿Qué temen?
- ¿Qué adoran?
- ¿Qué odian?

Para gustar realmente a una audiencia, deberá ser algo más que "agradable" o "bastante bueno". Pregúntese a sí mismo cómo puede llevar a su blog al siguiente nivel, para pasar de ser simplemente correcto a ser de lectura obligatoria. No sólo interesante, sino convincente.

Ejercicio

Cree un perfil de su grupo de lectores. Anote todo lo que sepa sobre ellos. Cuando tenga una buena idea de a quién se va a dirigir, pruebe a anotar todas las ideas que se le ocurran sobre posibles contenidos que tenga la certeza de que les van a encantar.

DESTACAR

Gracias a Seth Godin y a sus libros, muchos blogueros conocen y entienden la necesidad de "destacar". Eso es lo que hace que se difundan las ideas. El problema es que una cosa es ser consciente de la necesidad y otra ponerlo en práctica. Veámoslo mejor con unos ejemplos:

- **No basta con llamar la atención:** Desnudarse o gritar "fuego" le hará llamar la atención, pero carece de valor. Olvídese de buscar la atención y cree algo de valor.
- **Sea radical:** Las medias tintas no funcionan. La gente sólo recordará lo más grande, rápido, rico, fácil, duro, caro, barato y cualquier otro calificativo que se le ocurra.
- **Olvide las modas:** Las modas son efímeras, no son su objetivo. Si ya se está hablando de algo, es que ha llegado demasiado tarde.
- **No se trata de usted:** Se trata de sus lectores; deje su ego aparte. Uno de los mayores errores que cometen los blogueros es que siempre están hablando de sí mismos.
- **A la gente debe importarle:** Si la gente no lo ama ni lo odia, entonces tendrá que seguir intentándolo. No se trata de gustar, sino de levantar pasiones.

Si consigue hacer algo destacable, la tarea de difundir el mensaje y promocionar su blog le resultará mucho más fácil. Tener un blog de éxito consiste ante todo en hacer que su marca y estilo se difunda por todas partes.

Ejercicio

Seth Godin nos decía en uno de sus libros que buscáramos "vacas púrpuras". Piense en cosas de su vida que le parezcan destacables. ¿Qué es lo que las eleva por encima de la media, de lo normal, o de lo simplemente bueno?

¿Qué hace que las ideas se difundan?

Si piensa en la última vez en que le dijo a alguien algo que había escuchado, probablemente se debía a que encajaba en alguna de las siguientes categorías:

- **Nuevo/diferente:** La gente no habla sobre cosas corrientes y ordinarias; se hace eco de cosas que son suevas o diferentes. English Cut (véase la figura 10.1) fue el primer blog sobre trajes para hombre del que nadie había oído hablar; pero si iniciara hoy un blog como ese, a nadie le llamaría la atención.
- **Noticia:** Las noticias probablemente sean el tipo de información más grande que se puede difundir, pero esto no significa que se trate de algo nuevo o diferente. En algunos casos es la naturaleza de la historia la que ayuda a su difusión. A veces las cosas ordinarias pueden convertirse en nuevas si le ocurren a alguien importante.

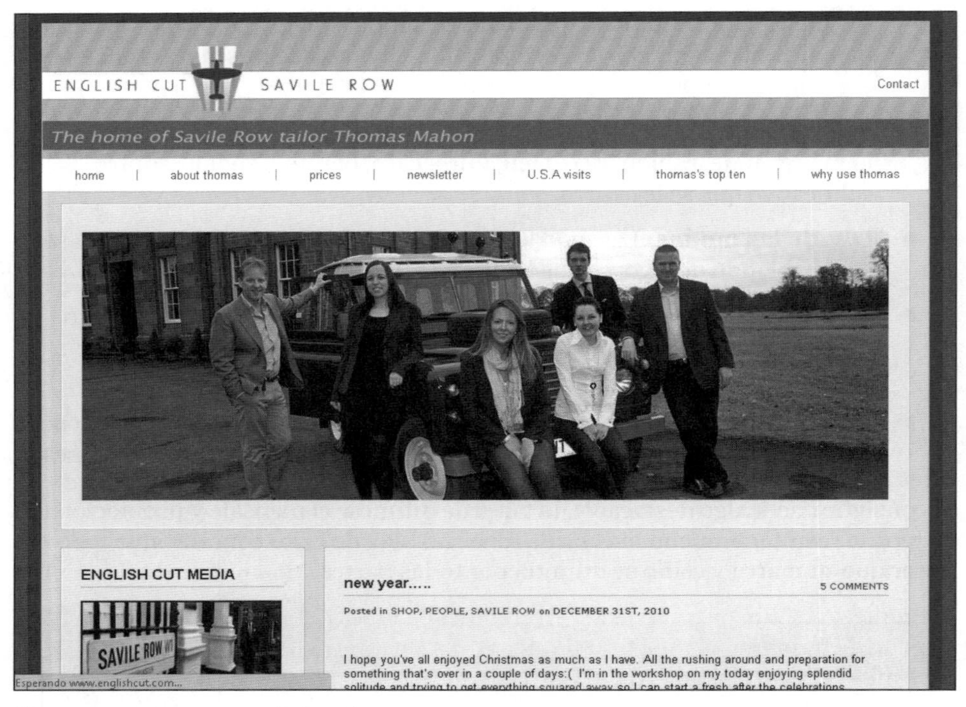

Figura 10.1. www.englishcut.com.

- **Fácil de entender:** Si tiene que resolver un acertijo para llegar a la información, en la mayoría de los casos le parecerá un esfuerzo excesivo, incluso aunque crea que es importante de algún modo. Simplifique su mensaje, y éste se difundirá más eficazmente.
- **Fácil de recordar:** ¿Cómo va a difundir la gente sus ideas si no es capaz de recordarlas? Ocurre como con los chistes; algunos de nosotros tenemos talento para recordarlos y contarlos, pero incluso a pesar de que me encanta escuchar a los humoristas contar historias complejas, sólo puedo recordar y contar a terceros las más básicas.
- **Fácil de comunicar:** Los políticos emplean frases con gancho por una buena razón: son fáciles de recordar y comunicar. Facilite la llegada al mensaje. Ofrezca funcionalidades del tipo "enviar a un amigo" y de marcado.
- **Beneficioso:** ¿Su historia ayudará a alguien? ¿Le hará reír? ¿Qué recibirán el emisor y el recipiente? Cuanto más beneficioso, más se difundirá, aunque también entrar en juego el interés propio.

Ejercicio

Durante una semana, haga una nota mental de cada noticia y cada cotilleo que reciba. Intente determinar cómo ha llegado esa información hasta usted. Decida con cuáles se quedaría para comentar o compartir, y cuáles cree que carecen de interés.

CONVERTIR AL BLOG EN ALGO ÚTIL

Los blogs útiles pueden ser difíciles de definir, aunque todo el mundo se puede hacer una idea. Basta con pasar un tiempo utilizando una herramienta para leer blogs para convertirse en un maestro en el tema. A veces decidimos el destino de un *feed* en un instante, como el jurado cruel de un concurso de talentos de la televisión. Pero la pregunta es: ¿qué define a estos blogs que lo han conseguido? ¿Por qué algunos blogs son útiles y otros una pérdida de tiempo?

Pregúntese a sí mismo qué tienen en común sus blogs favoritos. Piense en su blog favorito de todos los tiempos, su número uno. En el caso de Darren es Lifehacker; para mí es el blog de Dilbert, de Scott Adams.

Scott Adams es un tipo increíblemente ingenioso, pero también me hace pensar. Acudo a su blog en busca de evasión, para pensar en algo que no sea trabajo. A Darren le gustan varias cosas de Lifehacker, pero el factor principal es que se trata de un blog que con regularidad proporciona consejos enriquecedores.

Propiedades de un blog útil

Aquí cada cual tendrá sus respuestas diferentes, pero si las reuniéramos todas, creo que podríamos agruparlas en una o varias de las siguientes categorías:

- **Entretenimiento:** Los blogs cada vez se utilizan más para entretener. La gente acude a ellos para echar unas risas, para cotillear y para mantener conversaciones divertidas.
- **Educativos:** Algunos lectores de blogs están interesados ante todo en aprender algo nuevo sobre un tema concreto.
- **Informativos:** Muchos blogs de éxito surgen debido a la necesidad que tienen algunos de recibir información sobre un problema, producto o asunto.

- **Reflexivos:** Algunos lectores de blogs buscan un sitio en el que puedan abrir sus mentes a ciertos puntos de vista y tener una buena conversación o un buen debate a la antigua usanza, e incluso discutir sobre algún problema.
- **Noticias de actualidad:** Muchos lectores de blogs buscan simplemente estar al día en algún terreno concreto.
- **Comunidad:** Algunos blogs de gran éxito sacan partido de la necesidad que tiene la gente de conectar con otros y pertenecer a un sitio. Con bastante frecuencia, la temática del blog queda en un segundo plano.

Todos los blogs poseen el potencial de ser útiles, y todos los blogs de éxito lo enfocarán a su manera, quizá utilizando una combinación de los factores precedentes. Piense ahora en su blog actual o el que tiene en mente; ¿cuáles de las propiedades son aplicables en su caso?

Consejo para blogueros de ProBlogger: La meta final

Crear un blog sin el que la gente no pueda vivir suena casi utópico, pero ese deberías ser su objetivo. Si no se esfuerza para hacer de su blog el mejor posible, pronto caerá en la categoría "bastante bueno", la antesala de la mediocridad. Siempre debe tener en mente la pregunta: "¿cómo puedo mejorarlo?".

Crear contenido útil actualmente

Tanto si ya posee un blog como si tiene pensado empezarlo hoy, léase los siguientes consejos e impleméntelos sin más dilación.

Proporcione un valor añadido

No se limite a ofrecer las mismas noticias que difunde todo el mundo; proporcione el valor añadido de su opinión y su análisis, ayude a los lectores a interpretarlas, etc. Si mantiene un blog de noticias, la próxima vez que escriba un artículo tómese un momento antes de pulsar **Publicar**, y pregúntese a sí mismo si ha aportado algo a la historia. Cuénteles a sus lectores lo que piensa, haga un comentario sobre cómo le afecta a usted (o podría afectar a terceros), regrese a la historia para buscar patrones, o mire hacia el futuro e intente predecir el rumbo de las cosas. Aunque alguna gente sí que querrá estar simplemente al tanto de las últimas noticias, se convertirán en lectores fieles si ven que usted les da un sentido.

Haga preguntas

Las preguntas le acercarán a sus lectores y le proporcionarán perspectiva para saber qué piensan. Esto funciona mejor en algunos blogs que en otros (pues está en función de la temática y el número de lectores), pero hacer una pregunta a los lectores es un magnífico punto de partida para conseguir un contenido de utilidad.

Me encanta hacer preguntas en mi blog, e intento hacerlas con regularidad (véase la figura 10.2).

Do You Block Ads?

- Yes most of them, but I don't consider them evil. I just don't click them anyway so I prefer clean sites[1]
  63
- No, ad blockers are selfish
  59
- No, but I can't argue with someone who chooses to block them for their own reason.[1]
  22
- Yes, ads are evil
  21
- I block popups only but can't argue with someone trying to block all ads[1]
  20
- Block popups and banner ads[1]
  18
- Who or what are ad blockers?
  11
- Undecided
  5
- Yes, I hate all forms of commercial web
  4
- Only Flash Ads[1]
  3
- I unblock ads on sites I want to support.[1]
  3

Figura 10.2. Una encuesta de ejemplo.

Saque partido a los comentarios

Sus comentarios y los mensajes que reciba son una rica fuente de material relevante y cuestiones candentes. Si los lectores se toman su tiempo para hacerle una pregunta, ya sabe qué es lo que les interesa, tanto a estos como probablemente a buena parte del resto de lectores.

Consejo para blogueros de ProBlogger: Robe comentarios

Lea los comentarios de los blogs y los mensajes de los foros de su nicho para tomar nota de las mejores preguntas y sugerencias. No tiene por qué limitarse a los mensajes que le llegan directamente.

Cuente su historia

Contar sus propias historias puede suponer importante recurso. Hable de usted en sus artículos; cuente cómo ha aprendido sobre el tema del que suele hablar. Ofrezca ejemplos, sea simpático, exprese emociones. Los lectores querrán conectar con usted; contar una historia en lugar de simplemente mostrar los hechos ayuda a mantener vivo el asunto.

Ejercicio

¿Qué historias tiene que contar? ¿Qué lecciones ha aprendido? La próxima vez que cuente una historia que le parezca interesante, anótela para utilizarla en su blog.

Entretenga

Sea gracioso, intrigante, irreverente, divertido, sobre pase los límites, sorprenda a sus lectores, condiméntelo un poco. Utilice imágenes, vídeos y sonidos entretenidos, etc. Sea juguetón.

Informe

Produzca artículos con consejos o del tipo "cómo hacer que..." También podría escribir artículos introductorios a ciertas materias. Pregunte a sus lectores sobre qué desean aprender y responda a sus preguntas.

Cree una comunidad

Escriba artículos con corazón, que puedan suponer una inspiración para la gente. Preste mucha atención a los lectores que tiene, haga un montón de preguntas, responda a las suyas; proporcione a la gente el poder de contribuir todo lo que pueda. Incluya a todo el mundo, no caiga en la trampa de los chistes privados y sectarios. La clave de una gran comunidad reside en que sea cálida, acogedora y abierta a debates.

Ejercicio

¿Cuándo fue la última vez que se sintió bienvenido en una comunidad? ¿Cuándo ha sentido rechazo e incluso hostilidad? ¿Qué diferencia hubo en el comportamiento de los miembros de la comunidad en cada caso? ¿Puede trasladar alguno de estos factores positivos a su blog?

Cada blog tiene una mezcla diferente de metas y objetivos. Puede que le apetezca intentar alcanzar más de uno de los anteriores, pero la clave está en saber qué es exactamente lo que persigue.

RESUMEN

El aspecto más crítico de todos es situar a su audiencia por delante de todo y hacerlo de un modo nuevo y original. Conforme pase el tiempo, cada vez se hará más duro y difícil destacar entre el público. Tendrá que encontrar un modo de servir mejor a los lectores a la par que cubre nuevos terrenos.

Persiga ser único, destacable, convincente y, ante todo, útil, y su blog seguirá teniendo éxito mucho tiempo después de que muchos otros blogueros hayan abandonado.

11. Llevar el blog al siguiente nivel: Caso práctico

Buena parte de lo que hemos tratado hasta ahora se centra en las etapas introductorias de los quehaceres del bloguero, pero ¿qué ocurre cuando su blog lleva activo un tiempo y desea llevarlo hasta el siguiente nivel?

¿Cómo se pasa de tener simplemente un blog más que posee unos cuantos lectores y que es una fuente de ingreso parcial a convertirlo en un negocio de provecho?

En este capítulo vamos a recorrer el camino que he seguido en mi blog Digital Photography School (DPS) para convertirlo en un blog leído por 3 millones de personas al mes y por el que he recibido ofertas de siete cifras.

LOS COMIENZOS DE DPS: AÑOS 1 Y 2

En una lluviosa tarde de abril de 2006 recibí otro correo de un lector del blog que tenía sobre análisis de cámaras, pidiéndome consejo sobre cómo debería utilizar su cámara en situaciones con luz escasa.

Llevaba un par de años manteniendo un pequeño blog que se reunía análisis de cámaras sacados de Internet, y era frecuente que recibiera correos preguntándome cómo utilizar ciertas cámaras. Yo sólo había escrito artículos de análisis de cámaras, evitando el contenido del tipo "cómo hacer..." en el blog que tenía de fotografía. Generalmente, respondía a estas peticiones de ayuda con un correo del tipo "lo siento, pero no escribo ese tipo de artículo".

En el día en cuestión, cuando me encontraba a punto de enviar una respuesta de este tipo, sentí el impulso de escribir un corto tutorial sobre cómo utilizar una cámara en situaciones con poca luz. Al acabar el artículo, cuando iba a publicarlo en mi blog de a revisiones de cámaras, me asaltó una idea: ¿Y si empezaba un nuevo blog de fotografía en el que comentara cómo hacer ciertas cosas?

Sin pensarlo demasiado, registré www.digital-photography-school.com (ojalá lo hubiera meditado un poco más, pues ahora me parece demasiado largo), localicé una plantilla gratuita, subí el primer artículo e inicié el blog.

Durante los siguientes días y antes de hacer publicidad del nuevo blog en ningún sitio, escribí algunos otros artículos para que el blog tuviera unos cuantos artículos que leer. Después lo enlacé desde el blog que tenía sobre revisiones de cámaras, lo que supuso su presentación en sociedad.

Más o menos durante esa primera semana, el blog recibió unos 200 visitantes y generó menos de un euro a través de AdSense.

Principios básicos

Mi estrategia con DPS siempre fue abordar los dos primeros años del blog como una "fase de lanzamiento". Mi idea era pasar el año inicial o los dos primeros centrado en varias actividades de cimentación para asegurarme de que el blog alcanzara su potencial en los años posteriores. Esto es a lo que dediqué la mayor parte de mi tiempo en el primer año:

Principio básico 1: Contenido

Habrá observado que, para tratarse de un libro que cuenta cómo hacer dinero con los blogs, se le ha dedicado mucho tiempo a la cuestión del "contenido". El motivo es que tanto Chris como yo creemos firmemente en que para que un blog tenga éxito, éste debe ser de utilidad para sus lectores, proporcionando contenidos que resuelvan sus problemas y satisfagan sus necesidades.

Como consecuencia, en su primer año DPS se dedicó totalmente a identificar el tipo de problemas que tenían los fotógrafos principiantes y a escribir artículos que les ofrecieran soluciones. En estos días el blog cubrió un amplio espectro de temas y niveles.

Durante los dos primeros años de DPS escribí el 95 por ciento del contenido del sitio. En ocasiones incluí un par de artículos de fotógrafos de otros sitios a los que invité, pero el grueso del sitio se compuso de producción propia. En parte esto se debía a que soy un obseso del control y me quería asegurar de que la calidad fuera alta, pero también era algo que hice mientras los ingresos del sitio crecían hasta el punto de poder contratar a un equipo de escritores.

Principio básico 2: Promoción

He utilizado muchas de las técnicas comentadas en el capítulo 7 de este libro para hacerme de un grupo de lectores. Durante los primeros días di mucha importancias a mis relaciones por la red con otros blogueros, optimizar el blog para los motores de búsqueda y escribir contenidos para sitios de comunicación social como Digg y StumbleUpon. Además de esto, me hice dos preguntas importantes:

- ¿Quién deseo que lea mi blog?
- ¿En qué sitios de Internet se reúne esta gente?

Todo bloguero debe hacerse estas preguntas cruciales; si puede identificar a sus lectores potenciales para saber dónde hacen sus reuniones en línea, habrá encontrado unos lugares magníficos para empezar a promocionar su blog. Para mí, la respuesta a la pregunta número 1 era simplemente "fotógrafos principiantes". Saber esto me ayudó a identificar sus puntos de reunión, entre los que se incluían:

- Sitios para compartir fotografías como Flickr, por donde comencé a pasarme a menudo y donde abrí un grupo para atraer a los lectores.
- Otros blogs y sitios de fotografía, en los que comencé a escribir algunos artículos como invitado y a establecer contacto con los propietarios de otros sitios.
- Foros de fotografía, en los que me volví más activo.
- Blogs sobre temas relacionados; por ejemplo, comencé a enviar historias a Lifehacker, un blog con una temática más amplia que DPS pero que nos enlazó varias veces.

Después de haber identificado varios puntos de reunión de los lectores potenciales, trabajé duro para convertirme en un miembro genuino y útil, intentando aportar algo a estos sitios. Esto, con el tiempo, llevó a la gente a averiguar quién era yo y de qué trataba mi sitio.

Principio básico 3: Comunidad

Cuando inicié DPS no tenía ningún tipo de comunidad. De hecho, cuando empecé con el blog éste no estaba preparado para que los lectores dejaran comentarios (aún estaba experimentando un poco con él).

Aunque dejé desactivados los comentarios durante unos meses, sí que di los pasos para incluir algunos elementos de comunidad en el sitio durante el primer año, entre los que se incluía abrir un grupo en Flickr para que los lectores pudieran interactuar y compartir fotos. También puse en marcha varios concursos.

Cuando activé los comentarios, también empecé regularmente a hacerles preguntas a los lectores, además de realizar encuestas, abrir debates y darles la oportunidad de compartir sus fotos.

Además, pasados unos seis meses, añadí una nueva área de foro al sitio. Empleé vBulletin como plataforma y empecé por un número pequeño de áreas de debate. Rápidamente di con varios miembros del foro que me ayudaron a moderarlo voluntariamente. Este apartado del foro ha crecido hasta tener más de 80.000 miembros, y hoy día es una de las partes fundamentales de DPS.

Principio básico 4: Hacer contactos

Quizá la cosa más importante que he hice desde los primeros meses de DPS fue crear un boletín informativo (*newsletter*) por correo. Todo surgió a raíz de que un miembro de mi familia me preguntara cómo podía estar al tanto de los nuevos artículos del sitio. Le expliqué que se podía suscribir a mi *feed* RSS; su cara de póker me hizo darme cuenta de que hay mucha gente que no tiene ni idea de lo que es el RSS ni de cómo utilizarlo.

El correo electrónico es una tecnología más familiar para la mayoría de la gente, por lo que creé un boletín informativo e invité a los lectores a suscribirse, pidiéndoles permiso para enviarles un correo a la semana con los últimos consejos, tutoriales, revisiones y ofertas del sitio. Al día de hoy, boletín de noticias tiene más de un cuarto de millón de suscriptores.

Más adelante en este capítulo le comentaré cómo utilizo estos correos para recibir tráfico, crear una comunidad y hacer dinero.

Monetización

En los primeros dos años me centré principalmente en crear contenidos de calidad, promocionar mi blog, crear una comunidad y hacer contactos a través de mi boletín de noticias.

Hacer dinero con el sitio no era mi preocupación principal en esta fase; sin embargo, no lo ignoré por completo. Desde el primer día, el sitio generó ingresos a través de dos medios principales:

- **Anuncios:** Siempre he insertado publicidad de AdSense y Chitika en este sitio. Aunque estas redes no se adaptan perfectamente a ciertos nichos, han funcionado mejor que otras estrategias de monetización que empleé en los primeros días, mientras me hacía de un grupo de lectores.

  Con el tiempo, y conforme crecía el número de lectores, también comenzamos a atraer al sitio a anunciantes y patrocinadores más directos. Éstos comenzaron a sustituir lentamente a los sistemas de anuncios, que actualmente rellenan los lugares que se han quedado sin vender.

- **Programas de afiliados:** Como fuente de ingresos secundaria, me inscribí en algunos programas de afiliados. Inicialmente restringí la publicidad a promociones de cámaras, otros productos de fotografía y libros de Amazon, pero hacia el final de nuestro segundo año empezamos a promocionar los cursos de fotografía de otras personas.

CONSOLIDACIÓN Y EXPANSIÓN: AÑOS 3 Y 4

Durante los dos primeros años de DPS nuestro número de lectores creció considerablemente. Me centré en proporcionar un contenido útil, promocionándolo intensamente y captando a esos nuevos lectores mediante nuestro boletín de noticias y nuestro foro; el sitio creció hasta recibir unos 25.000 visitantes al día. Al final empecé a hacer el suficiente dinero como para pensar en ampliar el sitio.

Durante el transcurso de los siguientes dos años añadimos un equipo de escritores, ampliamos la temática, actualizamos el diseño del sitio, aumentamos el uso de los medios de comunicación social, y mucho más.

Equipo de escritores

Cuando el sitio ya se volvió rentable, empecé a anunciarme buscando colaboradores para el sitio. Lo hice con un sencillo anuncio en el tablón de empleo de ProBlogger, y enseguida dispuse de más aspirantes cualificados de los que podía emplear. Me quedé con 5 colaboradores semanales como complemento para mis propios artículos.

Durante el último año este equipo de escritores aumentó de 5 a 10; cuando alguien se iba contrataba a otro. También formé un grupo secundario de escritores invitados que enviaban ocasionalmente contenido, de manera voluntaria. Estos invitados eran lectores que querían ayudar a la comunidad, o fotógrafos de otros sitios que querían engordar su perfil.

Ampliación de la temática

Al principio, DPS sólo estaba dirigido a los fotógrafos principiantes y se centraba únicamente en proporcionar consejos sobre el uso de las cámaras. Cuando el número de lectores creció hasta un punto que nos dio la suficiente solidez, tomamos la decisión de ampliar el sitio para incluir dos nuevas áreas: la postproducción (cómo utilizar Photoshop y otros programas) y las revisiones de cámaras.

Esta expansión vino determinada por un gran número de lectores que preguntaban sobre estos asuntos en nuestro foro, así como por la sospecha de que serían áreas rentables. El área de revisión de cámaras es particularmente rentable, gracias al programa de afiliados de Amazon y al hecho de que las cámaras son un producto que genera unas estupendas comisiones.

Como parte de esta expansión (y la contratación de escritores adicionales), ahora hemos incrementado la frecuencia de publicación en DPS de uno a dos artículos al día (lo que también ha contribuido a aumentar el tráfico en el sitio).

Nuevo diseño

DPS ha tenido tres diseños desde su lanzamiento. Al principio utilizamos una plantilla gratuita que modifiqué para hacerla un poco diferente. Doce meses después, contraté a un diseñador para que proporcionara al sitio un aspecto más profesional, aunque el aspecto y la estructura pronto se quedaron pequeños.

Más tarde, en 2008, contraté a Matt Brett para darle a DPS un lavado de cara completo. Este diseño dio paso a la ampliación de la temática, una mejor integración del foro y el blog, y el aumento de páginas visitadas por los nuevos lectores, lo que a su vez redundó en que éstos se apuntaban con más asiduidad a nuestro boletín de noticias.

Cierto es que estos diseños personalizados no son baratos, pero con frecuencia conducen a un considerable incremento del número de páginas visionadas. También proporcionan una buena primera impresión del blog a los que lo visitan por vez primera, los anunciantes potenciales y a otras personas influyentes del nicho.

Medios de comunicación social

Desde su lanzamiento, siempre tuve la intención de desarrollar la presencia de DPS en los medios de comunicación social. Sin embargo, en los últimos dos años ha habido un fuerte cambio en el modo de hacerlo.

Al principio me centraba sobre todo en escribir contenidos orientados a los sitios de marcadores sociales como Digg, Delicious y StumbleUpon. Aunque DPS sigue recibiendo un tráfico decente de estos sitios, actualmente estoy menos centrado en ellos.

En vez de ello, ahora prefiero que sea nuestra comunidad la que suba nuestros contenidos a estos sitios según su criterio, y me centro más en crear una presencia en los sitios de redes sociales como Twitter y Facebook, en los que DPS posee cuentas y páginas específicas.

Aumentar la atención sobre los programas de afiliados

Fue durante el tercer año de DPS cuando empezó la crisis financiera global. Cuando empecé a ver la caída de la economía, me di cuenta de que no sería inteligente basarme tanto en la publicidad como fuente de ingresos, de modo que decidí diversificar mis fuentes.

Una estrategia de diversificación fue centrarme más en promocionar productos mediante programas de afiliados. Comencé a buscar programas de afiliados existentes que promocionar en el espacio de fotografía. Por esa época no existían muchos, aunque sí que encontré un par de libros electrónicos y cursos de formación que promocioné intensamente, con buenos resultados.

El problema con que me encontré fue que después de haber ofrecido estos recursos a los lectores una o dos veces, las conversaciones derivaron drásticamente hacia si los lectores deberían comprar los productos o no. Necesitaba más productos que promocionar. Me quedé sin productos de calidad que ofrecer, por lo que comencé a probar con otros productos de fotografía que no tenían programas de afiliados, para ver si estaban interesados en iniciar un programa de afiliados para nosotros. La sorpresa fue descubrir que casi todo el mundo aceptó e inició un programa de afiliados para que lo utilizáramos.

Como consecuencia, nuestro mercado de afiliados creció desde suponer aproximadamente un 10 hasta un 35 por ciento de nuestros ingresos en un año, compensando sobradamente la caída en los ingresos por publicidad (que resultó no ser tan mala como yo esperaba).

Recursos de DPS

La otra estrategia de diversificación en la que trabajé durante el cuarto año fue empezar a desarrollar nuestro propio producto, un libro electrónico sobre fotografía de retratos.

El libro electrónico era una colección de artículos editados y actualizados del blog de DPS que trataban sobre retratos. Se completó con una serie de entrevistas a fotógrafos profesionales que compartían sus consejos sobre la materia.

El libro electrónico, que lanzamos en noviembre de 2009, tenía unas 80 páginas de tamaño y venía repleto de información. Tenía un diseño y una corrección de errores profesional. Lo vendía a 14,95 € (con un descuento del 25 por ciento en la semana de lanzamiento), y durante su primera semana de ventas generó más de 52.000 € de ingresos.

Las ventas siguieron a razón de entre 10 y 30 copias al día, por lo que el libro sigue siendo una interesante fuente de ingresos incluso meses después de su lanzamiento.

Los libros electrónicos y otros recursos de fotografía seguirán siendo un medio creciente para el avance de DPS. El sitio sigue vendiendo anuncios y contratando programas de afiliados, aunque actualmente hay otros libros electrónicos en diferentes etapas de producción, que se lanzarán durante el próximo año.

DPS ACTUALMENTE

Digital Photography School no es, decididamente, el mayor blog de la blogosfera ni el más rentable. Por muchos motivos, lo observo y veo un blog relativamente joven que puede crecer de varias maneras. No obstante, ha pasado de ser un blog con un puñado de lectores semanales que hacía menos de un euro a la semana a uno que recibe más de 3 millones de lectores al mes y que genera varios cientos de miles de euros como ingresos anuales.

Las siguientes secciones describen cómo administro el blog de DPS actualmente.

Cómo utilizar el correo electrónico para atraer el tráfico y hacer dinero

Los boletines informativos por correo son una estrategia central en el desarrollo de DPS. Desde su lanzamiento he ofrecido a los lectores la opción de suscribirse para recibir las actualizaciones del sitio a través de un sencillo boletín semanal que incluye enlaces a los nuevos contenidos del sitio y los debates más candentes del foro.

Los beneficios de este boletín de DPS son numerosos:

- Atrae cada semana un tráfico significativo al sitio. Los días del boletín son siempre los mejores.
- Genera dinero. En los boletines que envío vendo espacios publicitarios a los anunciantes, lanzo nuestros propios productos e incluyo las promociones de los afiliados.
- Crea comunidad. Los boletines se pueden emplear para crear una sensación de comunidad, poner en marcha concursos y dirigir a la gente a las áreas interactivas del sitio.
- Es estupendo para crear una marca. Tener un punto de contacto semanal con los lectores refuerza nuestra marca y aumenta la fidelidad del lector.

Respecto a la tecnología, utilizo Aweber (`Aweber.com`) para enviar mis correos, aunque hay disponibles muchos servicios para enviar boletines por correo, y puede emplear cualquiera que le permita configurar un respondedor automático o enviar una secuencia de correos.

Nota: El proceso que voy a compartir a continuación empezó como algo muy sencillo y se ha desarrollado con el tiempo. De hecho, se sigue desarrollando según voy aprendiendo, pero en ningún caso se encuentra donde yo deseo... aún.

Comencemos por un repaso del aspecto que tenía mi proceso antes de explicar los elementos. Si desea suscribirse al boletín de noticias para probarlo de primera mano, puede hacerlo en `http://bit.ly/subscribeDPS`.

Cómo hacer que los lectores se suscriban

Como los boletines de noticias son una parte importante de mi sitio, he puesto mucho énfasis en que los visitantes los utilicen. Hay varios sitios en el blog para que los lectores se inscriban. Algunos se muestran sutilmente (insertados en las columnas), y otros no tanto (como un cuadro de inscripción emergente que les aparece a los lectores 20 ó 30 segundos después de que accedan al blog). El cuadro emergente está configurado para mostrarse sólo una vez por visitante (a menos que tenga bloqueadas las *cookies*), y aunque es intrusivo y dudé mucho sobre si añadirlo, ha sido increíblemente eficaz para captar suscriptores. Antes de empezar a utilizarlo tenía una media de 40 suscriptores confirmados al día. Tras añadirlo, la media subió a 350 al día (actualmente supera los 500 suscriptores al día). El cuadro molesta a un puñado de lectores (recibo uno o dos correos al mes quejándose sobre este), pero ante los beneficios que reporta, he decidido seguir con él.

Enviar un correo de bienvenida

Cuando se inscribe un nuevo suscriptor y confirma su suscripción (a través del correo), inmediatamente recibe un correo de bienvenida. La finalidad de este correo es hacerle sentirse bien con la suscripción y proporcionarle una rápida introducción al sitio.

Presumo que la mayoría de la gente que se inscribe en el boletín es nueva en el sitio, por lo que éste supone una magnífica oportunidad para que me presente, mostrarles el sitio y ayudarles a satisfacer sus expectativas.

Este correo de bienvenida lleva un logo del sitio, mi foto, algunos enlaces a partes clave del sitio como el foro, algunas sugerencias de lectura para ponerse al día de los artículos clave de nuestros archivos, y alguna información sobre lo que recibirá el suscriptor en las siguientes semanas en forma de futuros correos. El correo también pide a la gente que añada la dirección de correo desde la que se envían los boletines a su lista de contactos, para asegurarse de que reciben los correos. Esta bienvenida está escrita con un estilo personal y cercano, y parece funcionar, porque recibo un montón de respuestas a este correo de los nuevos suscriptores, agradeciéndome la bienvenida personal.

Ofrecer actualizaciones semanales

Las actualizaciones semanales son las que más suelen recibir los lectores. Se trata en su mayor parte de actualizaciones sobre lo ocurrido en el blog y los foros durante la pasada semana. Por lo general en estas actualizaciones semanales incluyo las siguientes secciones:

- **Bienvenida:** Por lo general, es sólo una frase que sirve de introducción para la semana. Si hay algo importante en el boletín, lo destaco aquí. A veces también ofrezco una rápida referencia a algo interesante que haya ocurrido durante la semana (día con récord de tráfico, algún hito en los suscriptores, una mención en la prensa). Este tipo de actualización parece aumentar la motivación de los lectores.
- **Enlaces rápidos:** Aquí comparto las novedades semanales, cualquier artículo o encuesta destinado al debate, los anuncios de concursos, y ocasionalmente algún artículo destacado al que desee dirigir el tráfico.
- **Consejos, tutoriales y técnicas:** La mayoría de las veces se trata de una promoción de afiliados (un magnífico producto), pero en ocasiones esta sección sirve como mensaje de nuestros patrocinadores, es decir, una anuncio de pago.
- **Consejos de postproducción:** Aquí incluyo las actualizaciones de esta sección del blog.
- **Equipos nuevos, consejos y revisiones:** Igualmente, aquí muestro las actualizaciones de esta sección del blog.
- **Hilos candentes del foro:** Una especie de resumen de los hilos clave del foro en este momento.

Aunque la lista anterior compone una plantilla básica para los boletines, en realidad mezclo un poco las cosas. Algunas semanas hago un poco de promoción en nuestras cuentas de Twitter o Facebook. Otras semanas rescato algunos artículos de los archivos, y a veces hago un poco de promoción para animar a los lectores a que envíen el correo a un amigo. En realidad, en estos correos puede ir cualquier cosa siempre que esté dentro del tema y resulte útil. Tenga presente siempre los principales objetivos de estas actualizaciones semanales:

- Dirigir el tráfico al sitio.
- Crear una comunidad, reforzar la marca con los lectores.
- Hacer dinero mediante las promociones.

A los lectores les encantan estos boletines, porque están llenos de enlaces al sitio para acceder a los contenidos más destacados y los recursos más útiles. Llamo a estos correos "Consejos de fotografía para su fin de semana", y éste es el uso que les dan muchos de nuestros lectores: como acicate para utilizar sus cámaras durante el fin de semana.

Nota: Yo confecciono estos correos manualmente. Hacerlo me lleva una hora o dos. Existen herramientas que envían correos de actualización automáticamente (Aweber es una de ellas), pero yo prefiero hacerlo manualmente para asegurarme de que los correos van a tener un impacto y una utilidad máximos.

Ofrecer actualizaciones temáticas

Las actualizaciones temáticas consisten en dirigir a los lectores hacia contenidos antiguos pero útiles sobre un único tema.

La idea surgió cuando me di cuenta de que los nuevos lectores de mi blog no veían la mayoría de las miles de páginas del contenido de mis blogs. Aunque en ocasiones enlazaba algunos artículos clave, la mayoría de mis archivos no recibían demasiado tráfico.

Mis actualizaciones funcionan del siguiente modo: Empleo un respondedor automático o la funcionalidad de seguimiento de Aweber para configurar estos correos. Esto significa que se envían a intervalos regulares a los lectores un cierto número de días después del último correo programado.

1. El primer correo de la secuencia es el correo de bienvenida anteriormente mencionado.
2. Treinta días después del correo de bienvenida, el suscriptor recibe el primer correo temático. Trata sobre la exposición y es un boletín que contiene una breve introducción sobre el tema de cómo conseguir una buena exposición en fotografía, además de algunos enlaces a algunos de nuestros tutoriales más útiles sobre el asunto. También se recomiendan algunos buenos libros sobre exposición (con enlaces de afiliados).
3. Treinta días después del correo sobre exposición, los suscriptores reciben otro correo temático sobre composición que contiene enlaces a algunos de nuestros mejores artículos sobre el tema (recuerde que entre tanto han estado recibiendo las actualizaciones semanales). También se recomiendan algunos buenos libros sobre el tema (con enlaces de afiliados de Amazon).

4. Treinta días después, los suscriptores reciben un correo en formato apaisado (el mismo formato que los anteriores, con enlaces a artículos del archivo y libros). Treinta días más tarde reciben otro correo temático (y así sucesivamente).

Los objetivos principales de estas actualizaciones temáticas son los siguientes:

- Dirigir tráfico al sitio, en especial hacia los artículos antiguos.
- Hacer dinero a través de los enlaces de afiliados. Aunque no sean los artículos mejor pagados, tienen su incidencia.

Configurar estos correos lleva algún tiempo, pero una vez hecho el proceso se automatiza y se puede despreocupar de ello. Con más de 500 personas inscribiéndose al boletín diariamente sé que 500 personas recibirán cada uno de estos correos diariamente. Actualmente tengo preparados seis de estos correos en secuencia, y añado más a la lista de vez en cuando, por lo que sé que en total 3000 personas los reciben cada día de la semana, todas las semanas. En definitiva, son una manera de automatizar la generación de tráfico.

Enviar correos promocionales

Ésta es la incorporación más reciente a mi secuencia de correos y aún estoy perfeccionandolo, pero las señales son ya muy prometedoras. Para enviarlos utilizo la secuencia de respuesta automática anterior (la idea es enviarlos cada uno o dos meses). El contenido de estos correos destaca un recurso o producto que recomiendo a mis lectores. Los productos pueden ser de producción propia o de los programas de afiliados, que me proporcionan una comisión por cada venta. En el correo hacemos pública esta relación; la reacción de los lectores al respecto ha sido muy positiva. La clave de estos correos promocionales está en escoger productos que recomiende sinceramente (o desarrollar un nuevo producto de creación propia). Los suscriptores pueden abandonar la lista en cualquier momento, y lo hacen. Si insiste demasiado o les recomienda productos sospechosos se irán y además les dejará un mal sabor de boca.

El primero de estos correos promocionales de nuestra secuencia sale 8 días después de que alguien se suscriba al boletín de noticias, asegurándonos así de que han recibido primero al menos una de nuestras actualizaciones semanales. El correo simplemente refuerza mi bienvenida anterior a la lista y ofrece al lector un 25 por ciento de descuento en nuestro libro electrónico sobre retratos, haciéndole saber que ya hemos ofrecido anteriormente a todos los lectores la oportunidad de conseguir este descuento y que queremos ampliarla por un tiempo limitado. Se trata de un correo corto que propone una venta sin presionar demasiado. Simplemente hace la oferta y se retira para dejar que la persona decida.

El segundo correo promocional sale un par de meses después, y ofrece un curso de formación sobre fotografía de alta calidad. Una vez más, se trata de una venta con poca presión; sin sensacionalismos ni obligaciones. Simplemente hacemos una recomendación genuina y dejamos que la gente decida. Los correos promocionales son una nueva incorporación a mi secuencia de correos, pero ya empiezo a ver sus magníficos resultados.

El objetivo principal de estas actualizaciones promocionales es hacer dinero a través de las ventas y los programas de afiliados. El dinero que generan estos correos se dispara inicialmente al enviarlos al grueso de la lista el primero día, pero tras eso se convierte en un tranquilo goteo. Tenga presente que una vez haya configurado varios de estos correos en su secuencia, puede conseguir beneficios de varias promociones diariamente.

Conclusiones finales sobre la secuencia de correos de DPS

Esta mezcla de correos devuelve unos resultados muy positivos. He trabajado duro para que tanto nuestros lectores como nuestro blog salgan beneficiados, de modo que se ofrezca información útil y relevante a la par que se generan beneficios. Hasta ahora creo que está bastante equilibrado. Regularmente recibo correos de los lectores dándome las gracias por el boletín, y cuando me retraso en su envío una hora o dos, empiezo a recibir correos preguntándome a qué se debe. Desde el punto de vista de los beneficios, son increíblemente rentables; entre las ventas de productos y el incremento de los ingresos por publicidad debido al aumento del tráfico, esta lista de correo se ha convertido verdaderamente en una parte central de mi flujo de ingresos. Con el ciclo así establecido, los lectores reciben en ocasiones dos correos en una semana. Sin embargo, nunca se supera esa cifra y la mayoría de las semanas sólo reciben un correo. Cuando se inscriben les dejo claro que la periodicidad es al menos semanal, para que sepan lo que van a recibir y no se sientan engañados. También utilizo la funcionalidad de planificación de Aweber para los correos de respuesta automática, lo que me permite especificar qué días de la semana van a enviarse. Planifico los correos en secuencia (los temáticos y los promocionales) de manera que nunca salgan en jueves o viernes (el mismo día que los semanales).

RESUMEN

Puede ser fácil caer en el error de encontrarse con un blog ya establecido y pensar que siempre ha sido como lo vemos ahora. Espero que este caso práctico no sólo sirva para ilustrar algunas de las técnicas y estrategias para crear blogs de éxito como los que hemos comentado Chris y yo en este libro, sino para mostrar también cómo evolucionan y crecen los blogs con el paso del tiempo.

Índice alfabético

A

B

C

D

E

F

G

H

I

J

K

L

M

N

O

P

R

S

T

V

W

Y